LE VOYAGE
DU COURONNEMENT

DU MÊME AUTEUR

La Contre-nature de Chrysippe Tanguay, écologiste, Leméac, 1984.

La Poupée de Pélopia, Leméac, 1985.

Rock pour un faux-bourdon, Leméac, 1987.

Les Feluettes ou la Répétition d'un drame romantique, Leméac, 1987.

Les Muses orphelines, Leméac, 1995.

L'Histoire de l'oie, Leméac, 1991.

Les Grandes Chaleurs, Leméac, 1993.

Le Chemin des passes-dangereuses, Leméac, 1998.

Les Papillons de nuit, Leméac, 1999.

Sous le regard des mouches, Leméac, 2000.

MICHEL MARC BOUCHARD

LE VOYAGE DU COURONNEMENT

Nouvelle version

LEMÉAC

Données de catalogage avant publication (Canada)

Bouchard, Michel Marc, 1958-

    Le Voyage du Couronnement

    Nouv. éd.

    (Théâtre)

    Éd. originale : 1995

    ISBN 2-7609-0378-8

    I. Titre.

PS8553.O774V69 2000   C843'.54   C00-941687-0
PS9553.O774V69 2000
PQ3919.2.B68V69 2000

Photo de couverture : Pierre Guimond

Leméac Éditeur remercie le ministère du Patrimoine canadien, le Conseil des arts du Canada, la Société de développement des entreprises culturelles du Québec (SODEC) et le Programme de crédit d'impôt pour l'édition de livres du Gouvernement du Québec (Gestion SODEC) du soutien accordé à son programme de publication.

ISBN 2-7609-0378-8

© Copyright Ottawa 2000 par Leméac Éditeur Inc.
1124, rue Marie-Anne Est, Montréal (Québec) H2J 2B7
Dépôt légal - Bibliothèque nationale du Québec, 1ᵉʳ trimestre 2000

Imprimé au Canada

MICHEL MARC BOUCHARD

Né en 1958 au lac St-Jean, il écrit et monte ses premiers textes alors qu'il est étudiant en tourisme au cégep de Matane. Après des études en théâtre à l'université d'Ottawa, il travaille avec les différents théâtres de l'Ontario francophone avant de s'installer à Montréal où il œuvre toujours.

Les œuvres de Michel Marc Bouchard sont traduites en plusieurs langues et jouées sur les scènes québécoises, canadiennes et étrangères.

Boursier du ministère de la culture du Québec, du Conseil des Arts du Canada et de la Fondation Beaumarchais de Paris, Michel Marc Bouchard a vu ses pièces mises en nomination à plusieurs reprises au prestigieux prix du Gouverneur général pour la littérature ainsi qu'à la Soirée des Masques. Il a reçu de nombreux prix, notamment le prix du Centre national des Arts, le prix de l'Association québécoise des critiques de théâtre, le prix des critiques de théâtre du Mexique, le Dora Mavor Moore Award et à deux reprises, le Floyd S. Chalmers Award et le prix d'Excellence littéraire du Journal de Montréal.

L'adaptation cinématographique de sa pièce *Les Feluettes* a reçu le prix Génie du meilleur long métrage canadien 96 et l'adaptation télévisuelle de *l'Histoire de l'oie* s'est méritée le prix Gémeaux de la meilleure émission jeunesse 98.

En l'an 2000, le réalisateur québécois Robert Favreau créait la version cinématographique de *Les Muses orphelines*.

HISTOIRE DU *VOYAGE DU COURONNEMENT*

La première version de cette pièce a été écrite à bord du cargo Cast Otter lors de sa traversée de l'Atlantique au printemps 1990 sous la gouverne du capitaine Jacques Decoster. Cette première version intitulée *Quand la reine aura cent ans* a été présentée en lecture publique sous la direction de l'auteur au Théâtre de Quat'Sous au printemps de 1990. La pièce sous son titre définitif, *Le Voyage du Couronnement,* a été présentée en lecture publique par le Centre des auteurs dramatiques à Montréal en mars 1994 et créée au Théâtre du Nouveau Monde de Montréal en coproduction avec le Théâtre du Trident de Québec en septembre 1995 dans une mise en scène de René Richard Cyr.

Elle fut présentée en italien en lecture publique au Festival Inter City du Teatro della Limonaia de Florence, Italie, en octobre 1995 dans une traduction de Francesca Moccagatta, en anglais au Festival InterAct du Factory Lab Theatre de Toronto en janvier 1996 dans une traduction de Linda Gaboriau et une mise en lecture de Peter Hinton, au Touchtone Theatre en collaboration avec le Arts Club de Vancouver au printemps de 1996 dans une mise en lecture de Roy Surret. Elle fut également lue publiquement au Théâtre Ouvert à Paris par le Bruit du Monde en octobre 1998 et au Festival April Sundays par Tinderbox Theater et Prime Cut Productions de Belfast, Irlande du Nord, en avril 1999 dans une mise en lecture de Jackie Doyle.

Cette nouvelle version de la pièce a été élaborée lors d'un séjour au Banff playRites Colony d'Alberta en août 1999. Elle fut créée en anglais en janvier 2000 par le Alberta Theatre Project de Calgary en coproduction avec le Belfry Theatre de Victoria dans une mise en scène de Roy Surret lors du Blitz Festival. Produite à nouveau en septembre 2000 par le Vancouver Playhouse Theatre en coproduction avec le Centre national des Arts d'Ottawa dans une mise en scène de Marti Maraden, cette version fut également présentée en novembre 2000 par le Prime Cut Productions lors du Belfast International Festival en Irlande du Nord dans une mise en scène de Jackie Doyle. La pièce *Le Voyage du Couronnement* s'est méritée le Betty Mitchell Award pour la meilleure nouvelle pièce à Calgary, saison 1999-2000.

L'auteur tient à remercier Benoît Lagrandeur ainsi que Dominique Lafon, et plus particulièrement Linda Gaboriau et Roy Surret.

DISTRIBUTION

Le Voyage du Couronnement a été créé le 21 septembre 1995 par le Théâtre du Nouveau Monde à la salle Pierre-Mercure dans une mise en scène de René Richard Cyr, sous la direction artistique de Lorraine Pintal (TNM) et de Serge Denoncourt (Théâtre du Trident) avec la distribution suivante :

LE CAÏD : Rémy Girard
HYACINTHE BÉRUBÉ : Marc Béland
SANDRO BÉRUBÉ : Hugolin Chevrette
ALICE GENDRON : Monique Leyrac
LE MINISTRE
JOSEPH GENDRON : Gérard Poirier
LE DIPLOMATE : Robert Lalonde
LE BIOGRAPHE : Benoît Gouin
MARGUERITE GENDRON : Roxanne Boulianne
MADEMOISELLE LAVALLÉE : Lorraine Côté
ÉLISABETH MÉNARD : Marie-France Duquette
ÉLISABETH TURCOTTE : Manon
ÉLISABETH PENINGTON : Caroline Stephenson
JEREMY : Henri Pardo
WILLY : Martin-David Peters

Décor : Claude Goyette
Costumes : François St-Aubin
Éclairages : Denis Guérette
Bande sonore : Philippe Pointard
Accessoires : Philippe Pointard
Maquillages : Angelo Barsetti
Coiffures : Michel St-Hilaire
Assistance à la mise en scène : Geneviève Lagacé
Régie : Lou Arteau

LES PASSAGERS

LE CAÏD. Mafioso. Père de Hyacinthe et de Sandro.

HYACINTHE. Jeune homme de vingt-cinq ans. Fils du Caïd. Pianiste. Sa mère est d'origine française.

SANDRO. Jeune homme de quatorze ans. Fils du Caïd et demi-frère de Hyacinthe. Sa mère est d'origine italienne.

LE BIOGRAPHE. Biographe du Caïd.

LE DIPLOMATE. Diplomate canadien. Vétéran de la Deuxième Guerre mondiale.

MARGUERITE GENDRON. Pianiste d'une vingtaine d'années. Fille du Ministre.

LE MINISTRE JOSEPH GENDRON. Joseph Gendron, ministre du gouvernement canadien.

ALICE GENDRON. Femme du Ministre.

MADEMOISELLE LAVALLÉE. Chef du protocole à bord de l'*Empress of France*.

ÉLISABETH TURCOTTE/ÉLISABETH MÉNARD/ÉLISABETH PENINGTON. Jeunes femmes dans la vingtaine. Gagnantes d'un voyage à Londres pour assister à la parade du couronnement.

JEREMY ET WILLY. Serveurs noirs et anglophones sur l'*Empress of France*.

Les pieds dans les glaïeuls, il dort. Souriant comme
sourirait un enfant malade, il fait un somme :
Nature, berce-le chaudement : il a froid.

Les parfums ne font pas frissonner sa narine ;
il dort dans le soleil, la main sur sa poitrine tranquille
Il a deux trous rouges au côté droit.

Arthur Rimbaud, *Le Dormeur du Val*

Et celui qui donne la vie à cette victime infortunée,
il s'enfuit, il la livre, il l'abandonne !

Euripide, *Iphigénie à Aulis*

PREMIÈRE PARTIE

ÉPISODE 1

LE BIOGRAPHE, *tenant dans ses mains un modèle réduit du bateau.* Très tôt le matin, une foule agitée prit d'assaut le majestueux transatlantique *Royal Mail Steamship Empress of France* de la Pacifique Canadien. Sur le quai, une fanfare militaire animait l'excitation des uns et les adieux des autres. *(Fanfare.)* Vers midi le signal du départ se fit entendre une première fois. (*Corne de brume.*) Les passagers avaient envahi tous les ponts du bateau. Seul celui des premières classes était presque désert. D'un côté, un élégant transportant une cage qui contenait deux oiseaux marchait d'un pas pressé. De l'autre, Sandro, distrait, arrivait, en sens inverse, un coca-cola à la main. L'élégant et le jeune garçon se heurtèrent de plein fouet. Il était midi. C'était le 22 mai 1953. *(Il disparaît.)*

Le pont des premières classes apparaît. Le Diplomate est couvert de coca-cola.

LE DIPLOMATE. Quel étourdi !

SANDRO. Je suis vraiment étourdi.

LE DIPLOMATE. Vous auriez pu regarder où vous alliez !

SANDRO. J'aurais dû regarder !

LE DIPLOMATE. C'est très inconfortable.

SANDRO. J'imagine que c'est inconfortable.

LE DIPLOMATE. Vous avez abîmé mon costume.

SANDRO. J'ai abîmé votre costume ?

LE DIPLOMATE. Cessez de me faire écho.

SANDRO. À l'instant, monsieur.

LE DIPLOMATE. Ne me parlez pas de si près.

SANDRO. Y a un tailleur sur le bateau.

LE DIPLOMATE. Oublions ça !

SANDRO. Mon père va payer.

LE DIPLOMATE. Ne me parlez pas de si près.

SANDRO. C'est à cause de mes lunettes. Je devrais les porter mais mon père ne veut pas. Il dit qu'elles m'enlaidissent.

LE DIPLOMATE. Jeune homme...

SANDRO. Mon père va payer.

LE DIPLOMATE. Oublions ça !

SANDRO. C'est à vous les oiseaux ?

LE DIPLOMATE. Ce sont des alouettes cornues.

SANDRO. Vous les emmenez partout où vous allez ?

LE DIPLOMATE. C'est un cadeau que le corps diplomatique canadien offre au zoo de Londres à l'occasion du couronnement.

SANDRO. On dit que son carrosse est tout en or et qu'il est tiré par huit chevaux gris.

LE DIPLOMATE. Je peux savoir où vous fonciez comme ça ?

SANDRO. J'allais voir mon père. Il est assez riche pour nous offrir la plus belle suite à bord mais pas assez pour tenir ses promesses. Il m'avait promis un habit d'homme, un habit en serge noir aux rayures jaunes. J'ai défait mes malles et j'ai pas trouvé mon habit.

LE DIPLOMATE. Vous m'êtes familier !

SANDRO. Moi, je ne vous ai jamais vu sinon je m'en souviendrais. Et tout le monde sait que j'ai une mémoire phénoménale.

LE DIPLOMATE. Ah, oui ?

SANDRO. L'*Empress of France* pèse 20 123 tonnes, mesure 582 pieds de long par 75 pieds de large par 42 pieds de haut. Il a été construit à Liverpool en 1928. Avant la guerre, il s'appelait le *Duchess of Bedford*. C'est après la guerre qu'on l'a baptisé l'*Empress of France*. Aujourd'hui, il entreprend son deux cent vingt-deuxième voyage. *(Temps.)* Je connais bien du monde qui n'en pourrait déjà plus de m'écouter et qui serait parti. *(Le Diplomate lui sourit.)* Il faut avoir une bonne mémoire si on veut faire des affaires. Rien écrire. Jamais laisser de trace. Tout retenir. Le capitaine a commencé à m'apprendre la liste de toute la nourriture qu'il y a à bord.

LE DIPLOMATE. Ah, oui ?

SANDRO. 24 430 livres de farine, 7 350 livres de céréales...

LE DIPLOMATE. Vous n'allez tout de même pas...

SANDRO. Quand j'aurai fini de tout mémoriser, ça va être un grand moment.

LE DIPLOMATE. Vous parlez toujours autant ?

SANDRO. Louise me le disait souvent.

LE DIPLOMATE. Qui ?

SANDRO, *mettant ses lunettes.* Vous voyez le clocher là-bas ? Elle vit tout près. *(Fier.)* Elle a dix-sept ans. Moi, j'en aurai quatorze dans un mois. Au moment où je vous parle, elle me pleure d'amour. Je lui ai dit : « je pars » et elle m'a écouté comme on écoute un homme, *senza fare demande :* sans poser de question.

LE DIPLOMATE. Impressionnant.

SANDRO. Vous ne le savez peut-être pas mais je vaux onze mille dollars.

LE DIPLOMATE. Estimez-vous heureux de connaître votre valeur. Vous avez là la réponse à l'une des grandes questions de l'existence. Je sais où je vous ai vu. Vous êtes le fils du Caïd !

SANDRO. Vous connaissez mon père ?

LE DIPLOMATE. Au tout début des temps, quand Saint Michel archange a chassé le diable aux enfers, avant qu'il ne descende dans les abîmes de la terre, il a creusé un trou pour y laisser sa semence. La légende veut que votre grand-mère se serait vautrée sur la semence du diable et qu'elle aurait ainsi engendré votre père.

SANDRO. Wow !

LE DIPLOMATE. Caïd des caïds, Général du vice, Roi des ombres. On dit que Dieu a personnellement nommé le premier cardinal de Montréal uniquement pour qu'il en chasse votre père.

SANDRO. Moi, je suis le fils de la maîtresse italienne. Mon frère, lui, c'est le fils de la maîtresse française. Dites-le à personne mais nous fuyons le pays.

LE DIPLOMATE. Je sais. Voici votre nouveau passeport, Sandro.

Le diplomate sort un passeport de son veston.

SANDRO. C'est ma photo ! « Martin Peacock » ? C'est vous qu'on paie onze mille dollars pour me trouver un nom aussi laid ?

LE DIPLOMATE. Je vais me changer.

SANDRO. Allez vous changer.

LE DIPLOMATE. Nous nous reverrons plus tard.

SANDRO. Nous nous reverrons.

LE DIPLOMATE. Vous n'allez pas recommencer…

SANDRO. Vous n'allez pas… Je blaguais.

LE DIPLOMATE. Plus tard, nous irons voir le tailleur.

SANDRO. Je fais de votre habit une question d'honneur.

LE DIPLOMATE. Et moi, je vous offrirai ce costume de serge noir aux rayures jaunes.

SANDRO. Vous êtes sérieux ?

LE DIPLOMATE. Oui !

SANDRO. *Promesso ?*

LE DIPLOMATE. *Promesso* ! Votre père a raison : ces lunettes ne vous vont pas du tout. Elles masquent vos yeux.

SANDRO. Pour quelqu'un qui s'est fait bousculer, vous avez été très gentil.

Corne de brume.

ÉPISODE 2

L'*Empress room.*

Une table dressée pour quatre. Le Caïd est assis de dos et fume un cigare. Willy est près de la table. Il y a exagération dans la mise en table. Le Biographe est debout près de lui.

LE BIOGRAPHE. Quelques semaines avant l'embarquement, le Caïd des caïds m'avait offert de graver sa vie pour les générations futures. Enlisé depuis des années dans la rédaction de discours officiels, prêtant ma plume à des hommes sans voix, j'avais accepté l'offre excitante d'être le rapporteur de son passé.

Corne de brume.

LE CAÏD. Vous avez entendu le signal du départ ? On bouge toujours pas et le Diplomate est en retard !

LE BIOGRAPHE. Il m'avait confié toutes les étapes de son ascension dans la hiérarchie du monde interlope.

LE CAÏD. D'ordinaire quand j'invite, on est en avance.

LE BIOGRAPHE. J'avais minutieusement inventorié tous les noms des martyrs qui avaient été sacrifiés à l'édification de sa réussite.

LE CAÏD. C'est la deuxième fois qu'on entend la corne de brume.

LE BIOGRAPHE. Son passé en imposait.

18

LE CAÏD. Ça, c'est très bon !

LE BIOGRAPHE. Un tel succès, si jeune.

LE CAÏD. « Un tel succès, si jeune ! » C'est très bon. *(Corne de brume.)* Vous entendez ?

LE BIOGRAPHE. C'est Montréal qui vous retient. Elle vous en veut de la quitter.

LE CAÏD. J'aime ça.

LE BIOGRAPHE. Deux mois plus tôt, ce voyage qui se devait d'être le plus éclatant de sa carrière se transforma, à la suite de quelques incidents, en un sombre exil.

LE CAÏD. Sombre exil ?

LE BIOGRAPHE. C'est à l'embarquement que je compris ma lourde tâche ; rapporter à la postérité le déclin et la chute du Général du vice.

LE CAÏD. Sombre exil ! Déclin ! Chute ! Trouvez d'autres mots ! Passage. Étape. Changement. Enjolivez !

LE BIOGRAPHE. J'essaie, monsieur.

LE CAÏD. Mettez des beaux qualificatifs.

LE BIOGRAPHE. J'abuse déjà des superlatifs !

LE CAÏD. Inspirez-vous de nos livres d'histoire !

LE BIOGRAPHE. Lesquels ?

LE CAÏD. Écrivez ma vie comme celle d'un héros national !

LE BIOGRAPHE. Lequel ?

LE CAÏD. Trouvez-en un ! Choisissez les détails qui excitent, les détails qui provoquent l'envie. Rendez jalouse toute la mafia de Montréal.

LE BIOGRAPHE. Monsieur, deux sortes de biographies : celles qui enjolivent et qu'on pilonne, et celles qui disent vrai, celles qui traversent le temps.

LE CAÏD. Je veux pas qu'on m'oublie. Avec mon nouveau passeport, je vais disparaître sous le nom d'un autre. Je veux qu'on se rappelle que j'étais grand. Rendez tout plus beau, plus fort, plus grand !

LE BIOGRAPHE. Il nous faut un minimum d'objectivité !

LE CAÏD. Vous laisserez ça aux archives de la police. Et à la fin, vous allez écrire ma disparition comme on écrit les grands mystères.

LE BIOGRAPHE. De l'autre côté de l'océan, une nouvelle vie trépidante, pleine de surprises et de rebondissements attendait l'illustre mafioso.

LE CAÏD. Déjà c'est plus beau.

LE BIOGRAPHE. C'est à cet instant que l'aîné de ses fils entra. Il était midi.

Hyacinthe entre. Il a les mains gantées.

LE CAÏD. Admire ça, Hyacinthe ! Le grand salon de l'*Empress of France* juste pour nous ! Y a deux ans, c'est ici que la princesse Elisabeth a dû boire son thé. C'est là que le duc d'Édimbourg a dû lire son journal. On va faire une traversée royale. On va se priver de rien. Tu vas voir, là-bas, en Angleterre, on va recommencer en neuf. C'est le repas le plus important de notre vie. C'est la disparition de notre famille et je veux que ce soit solennel !

LE BIOGRAPHE. Grandiose.

LE CAÏD, *se racontant*. La commande de stupéfiants avait été faite par le vicaire de Sainte-Madeleine d'Outremont. Le vicaire, en personne. Un homme d'Église pris avec trente-deux onces d'héroïne. J'avais promis une dénonciation exceptionnelle.

LE BIOGRAPHE. C'en était toute une.

LE CAÏD. Les cloches de Montréal en tremblent encore… On était les plus forts. Je me rappelle de la visite de Georges VI en 1939. Il devait rester au deuxième étage de l'hôtel Windsor. En face de sa chambre, y avait une maison de jeux. Pour pas déranger la vue du monarque, on a voulu fermer la maison de jeu. Finalement, c'est le roi qui a dû changer d'étage.

HYACINTHE. L'histoire se souviendra de vous, papa. Grâce à vous, monsieur le Biographe !

LE BIOGRAPHE. L'histoire n'a pas besoin de moi.

HYACINTHE. Si l'histoire n'avait pas besoin de vous, on ne serait pas là à l'écouter radoter tout ça. *(Temps.)*

LE BIOGRAPHE. La fanfare sur le quai entama un nouvel air.

LE CAÏD. Le Diplomate est en retard.

HYACINTHE. Je vais chercher votre Diplomate.

LE CAÏD. Cinq minutes avec moi et tu t'ennuies ?

HYACINTHE. Je le ramène tout de suite.

LE CAÏD. Reste ici. Je veux que tu apprennes comment on fait la business.

HYACINTHE. Quelle business ? Si vous voulez faire de la business avec un diplomate, ça vous prend un diplomate. Je vous offre d'aller vous chercher un diplomate. Après, quand le diplomate sera là, j'apprendrai comment se fait la business, et quand j'en saurai autant que vous, mes enfants à leur tour se feront massacrer ! Ça vous va ?

LE CAÏD. T'es blême.

HYACINTHE. Ça vous gêne ?

LE CAÏD. T'es maigre.

HYACINTHE. J'ai toujours été comme ça.

LE CAÏD. T'es arrogant.

HYACINTHE. Ça, c'est récent.

LE CAÏD. Tu laisses une petite amie à Montréal ?

HYACINTHE. Non.

LE CAÏD. C'est pour ça que t'es blême.

HYACINTHE. Ah, oui ?

LE CAÏD. La maigreur, c'est ta mère. C'était la plus maigre. Tu vas voir, je vais te trouver une femme, moi.

HYACINTHE, *montrant ses mains gantées.* Depuis quand les filles s'intéressent aux manchots ?

LE CAÏD. Réponds-moi mieux que ça !

HYACINTHE. « Monsieur, pourriez-vous caresser mon amoureuse ? Moi je n'y arrive pas. »

LE CAÏD. Réponds-moi mieux que ça !

HYACINTHE. Ou quoi ? « Réponds mieux que ça ! » ou quoi ?

LE BIOGRAPHE. Une volée de mouettes passa au-dessus de la coupole vitrée du grand salon.

LE CAÏD. L'histoire se fait de peines et de blessures.

HYACINTHE. C'est ça !

LE BIOGRAPHE. Une brise chaude courait sur tous les ponts.

LE CAÏD. L'histoire se fait de victoires et de pertes.

HYACINTHE. C'est ça !

LE CAÏD. Tu me dois le respect.

LE BIOGRAPHE. Le fils embrassa le père.

HYACINTHE, *immobile.* C'est fait ! Je vous aime. C'est dit.
Y a-t-il d'autres dettes ? *(Près du visage du Caïd.)* Un jour,
on va lire les rides du visage comme on lit dans les lignes
de la main. De vos rides, de celles entre vos sourcils, on
dira qu'elles trahissaient une intelligence inquiète.
Celles sur votre front laisseront voir que vous avez vécu
constamment dans la peur. Celles près de votre bouche
diront que vous avez souvent serré les dents à cause des
remords. Mais on ne trouvera aucune trace du bon père
qu'il fut, rien de celui qui faisait rire ses enfants par ses
extravagances, rien de celui qui les protégeait.

LE CAÏD. On va se faire un meilleur avenir.

HYACINTHE. On dirait la propagande pour la conscrip-
tion.

LE CAÏD. On m'a dit que t'avais des médicaments à
prendre !

HYACINTHE. Ça endort le mal...

LE CAÏD. Tes médicaments !

HYACINTHE ... pas les cris.

LE CAÏD. Tu vas voir ; quand on va être à Londres...

HYACINTHE, *hurlant.* Qu'est-ce qu'on fera quand on sera
à Londres ? Qu'est-ce qu'on peut faire de plus beau que
d'y donner un concert ? On va à Londres pour jouer
du piano, pour jouer devant la reine, pour s'y faire
applaudir. Pas pour s'y cacher. Y a des notes, y a des
gammes à Londres. Pas une famille qui s'exile.

LE CAÏD. Fermez les portes !

HYACINTHE. J'étais pianiste ! J'étais un grand pianiste !

LE CAÏD. Je veux pas que le Diplomate le voie dans cet
état.

HYACINTHE. On m'appelait le Grand disciple de Chopin !

LE CAÏD. Je déteste les débordements !

HYACINTHE. Je devais jouer pour la reine ! Je devais jouer au gala du couronnement !

LE CAÏD. Arrête de gémir ! On y va, au couronnement.

HYACINTHE. Ils étaient deux. Deux derrière moi. Deux hommes sans visage. « Continue, on aime ça la musique. Continue ! » Y en a un qui m'a pris les poignets et il a tenu mes mains fermement sur les touches du piano. « Continue ! On t'a dit de continuer. » L'autre a refermé le couvert du clavier... sur mes mains. Et encore... sur mes mains ! Encore ! Encore ! *(Criant.)* Écrivez, le Biographe ! Encore ! Jusqu'à ce que le couvert du clavier se déchausse de ses pentures, jusqu'à ce que mes phalanges sortent de mes jointures. Le clavier était rouge. Mes mains étaient rouges. Je ne comprenais pas ce qui m'arrivait. Je comprenais rien. Je comprenais pas mes mains. C'étaient mes mains. Y avait erreur ! Y avait erreur ! Et là, la lumière est apparue dans l'obscurité. La raison de tout cela, plus douloureuse que la blessure elle-même. « On avait averti ton père de fermer sa grande gueule. On lui avait dit d'arrêter de dénoncer tout le monde. » J'ai payé pour mon père. J'ai payé pour les délations de mon père. J'aurais préféré qu'on en veuille à mon talent. Écrivez, le Biographe ! La suite royale, le grand salon, l'exil de luxe, les faux passeports, c'est une gracieuseté de la police pour services rendus !

LE CAÏD. On a toujours mené la grande vie.

HYACINTHE. Avec ma musique, j'avais réussi à oublier le vacarme des fonds de ruelles, les vociférations des soûleries, les supplications des putains qu'on remet à l'ordre.

LE CAÏD, *au Biographe*. Les regrets, ça empêche de bouger. Ça empêche d'avoir des idées.

HYACINTHE. Avec ma musique, j'avais réussi à oublier que votre monde finirait un jour par me rattraper.

LE CAÏD. Hyacinthe, je pensais pas qu'ils passeraient aux actes.

HYACINTHE, *catastrophé*. Vous saviez ?

LE CAÏD. Je sais tout.

HYACINTHE. Vous saviez que j'étais menacé ?

LE BIOGRAPHE. La veille, la police avait cadenassé les derniers bordels, brûlé les dernières tables de jeux. Montréal la Pute redevenait Montréal la Sainte.

LE CAÏD. Je vais vous rendre heureux là-bas.

HYACINTHE. Vous saviez !

LE CAÏD. Je vais vous donner ce qu'il y a de mieux. Y a plus rien ici. Des petits maquereaux, des quêteux, des grenouilles de bénitiers, des ruine-babines, des porteurs d'eau, des aboyeurs. Deux cents mots dans la gueule, dix cents dans une poche, le chapelet dans l'autre. On va faire de meilleures affaires là-bas. Ici, c'est trop petit. Ça manque de style. Je vais vous donner c'qu'y a de mieux. Des meilleurs noms, des meilleures vies ! On va recommencer en neuf, là-bas.

HYACINTHE. Un jour, on va trouver la vérité en lisant vos rides, pas votre biographie.

LE CAÏD. Tu vas oublier. Tu vas voir, on oublie tout.

HYACINTHE. J'ai un titre pour vos mémoires : « L'apprentissage de l'impuissance. »

LE CAÏD. Hyacinthe, tu sais que je t'aime !

HYACINTHE. C'est ça ! Ça fera un beau chapitre.

Long silence.

LE BIOGRAPHE. J'enjolive tout ça, monsieur ?

LE CAÏD. Hyacinthe, tu restes ici !

LE BIOGRAPHE. Pas une de ses maîtresses n'était venue lui dire adieu.

LE CAÏD. Laissez faire la dernière phrase.

LE BIOGRAPHE. Le Diplomate entra dans l'*Empress room* avec quelques minutes d'avance.

LE DIPLOMATE, *qui porte un nouvel habit.* Pardonnez mon retard !

LE CAÏD. Mon sauveur ! Whisky ?

LE DIPLOMATE, *saluant Hyacinthe.* Je vous ai déjà entendu jouer, monsieur. Bravi ! Bravi ! *(Au Caïd.)* Nous allons assister à l'histoire du monde.

LE CAÏD. Si le bateau lève l'ancre !

LE DIPLOMATE. Une si jeune reine !

LE CAÏD. L'espoir que tout l'empire attendait. Tout s'est bien passé ?

Le Diplomate donne un pourboire à Willy et lui fait signe de les laisser. Willy sort.

LE DIPLOMATE. Les passeports sont en lieu sûr.

LE CAÏD. Ça veut dire quoi « en lieu sûr » ?

LE DIPLOMATE. La rumeur veut qu'en partageant votre table, on s'approche du diable.

LE BIOGRAPHE, *enthousiaste.* On tient notre prologue, monsieur !

LE CAÏD. Où sont les passeports ?

Le Diplomate s'assoit.

LE BIOGRAPHE. Le Diplomate s'assied confortablement.

LE DIPLOMATE. On dit que la délégation canadienne pour le couronnement est plus imposante que celles de la consécration de notre cardinal à Rome, des obsèques de Staline, de la reine Mary et d'Évita Perron mises ensemble.

LE CAÏD. Bon, c'est quoi ? Vous voulez un bonus ? Combien ?

LE DIPLOMATE. J'aime traiter avec des gens comme vous, monsieur Peacock.

LE CAÏD. Peacock ?

LE BIOGRAPHE. Ça veut dire « paon ». C'est l'oiseau le plus fier !

HYACINTHE. Le plus vaniteux aussi.

LE DIPLOMATE. Vous êtes né à Gloucester. Vous êtes veuf. Vos fils se prénomment James et Martin.

LE CAÏD. T'as entendu, Hyacinthe, tu t'appelles Martin. C'est combien votre bonus ?

LE DIPLOMATE. Devons-nous régler cette affaire en présence de votre fils ?

LE CAÏD. C'est bien pour un fils de voir comment son père fait la business.

LE DIPLOMATE. Comme vous voulez.

LE CAÏD. La police vous a déjà payé onze mille dollars pour chaque passeport.

LE DIPLOMATE. Je veux que vous me mettiez en rapport avec quelqu'un.

LE CAÏD. Qui ? Je quitte le pays.

LE DIPLOMATE. J'ai récemment fait la connaissance d'une charmante personne. J'ai été envahi par une grande émotion. Une douloureuse émotion. J'ai baissé la tête de peur qu'on ne me voie rougir.

LE CAÏD. Qui ?

LE DIPLOMATE. J'ai besoin de votre permission pour prolonger cette séduction. Ensuite, vous aurez vos passeports.

LE CAÏD. Qui ?

LE DIPLOMATE. La liberté de votre famille contre une nuit avec votre plus jeune fils, Sandro. *(Temps.)* D'ordinaire, je rencontre mes trop jeunes amants dans des lieux sales et obscurs, des chambrettes sans fenêtre, des visages sans sourire. Sandro est propre et il sent bon.

LE BIOGRAPHE. Le Général du vice fut pris d'un malaise. Il s'appuya contre un fauteuil.

LE CAÏD. C'est une farce ?

LE DIPLOMATE. Non.

LE CAÏD. Vous êtes malade.

LE DIPLOMATE. Les rois déchus n'ont pas les moyens de cracher sur leur salut.

LE CAÏD. Hyacinthe, t'as rien à faire ailleurs ?

HYACINTHE. On m'a demandé de rester.

LE DIPLOMATE. J'aimerais vous dire que je fais ça pour venger ma sœur putain qui a été battue par vos hommes, pour mon frère mort d'une surdose d'héroïne, pour mon autre frère criblé de dettes de jeux et criblé de balles, mais je suis enfant unique. Non. Je n'ai aucune autre raison que les beaux yeux de votre jeune fils.

LE BIOGRAPHE. D'un geste, le Général du vice supplia le Diplomate de se taire.

LE DIPLOMATE. Ne me regardez pas ainsi. Je ne baisserai pas les yeux. Avec le temps, j'ai endormi tous les remords. Vous devez comprendre ce que je veux dire. Je vous avoue que je vis présentement un grand moment ; vous allez me donner la permission de séduire votre fils. Je n'ai pas à craindre qu'il me dénonce auprès de vous car je vous demande d'être complice. C'est à la fois étrange et merveilleux.

LE BIOGRAPHE. Le Roi des ombres voulut se jeter sur le Diplomate.

LE DIPLOMATE. Attention ! On dit que dans votre profession les émotions sont à proscrire. J'ai peur de perdre un peu d'excitation. Vous devez comprendre ; faire une chose qui est hors la loi et contre la morale donne une grande excitation dans son accomplissement. J'aime cette sensation. *(Le Caïd ne bouge pas.)*

LE BIOGRAPHE. Il se devait de réagir.

LE DIPLOMATE. Vous oubliez ce que vient d'endurer le pianiste ! On dit qu'il ne jouera plus jamais.

HYACINTHE, *calmement.* Il ne jouera plus jamais !

LE DIPLOMATE. Vous avez trop parlé.

LE BIOGRAPHE. Silence.

LE DIPLOMATE. Ils vont vous traquer jusqu'à la nuit des temps. Vous n'avez pas respecté les règles, Caïd.

LE BIOGRAPHE. Silence.

LE DIPLOMATE. Vous parlez trop.

LE BIOGRAPHE. Silence.

LE DIPLOMATE. Ces passeports sont ce qui se fait de mieux. Pensez à votre avenir, au moins à celui de vos enfants.

LE BIOGRAPHE. Toujours le silence.

LE DIPLOMATE. Fortune et prospérité vous attendent là-bas.

LE BIOGRAPHE. Le Caïd des caïds frappa la table de ses deux poings !

LE DIPLOMATE. Je veux qu'il se sente en confiance avec moi. Vous pouvez me parler de sa Louise ? Cela m'aiderait à créer l'intimité. *(Silence.)* Vous verrez, ce n'est pas si tragique. Il va s'en remettre. Après, ils ont l'impression d'avoir joué à quelque chose qui les dépasse. Leurs sourires sont différents, leurs yeux aussi. Certains deviennent sombres, d'autres y prennent goût. Mais tous, ils vieillissent plus vite. C'est dommage qu'ils ne puissent garder plus longtemps cette espèce de fragilité qu'ils ont au dedans. Bien sûr, si tout se passe bien, je lui tairai votre participation à tout cela. Vous savez qu'il a une mémoire phénoménale ? Je doute que vous me répondiez aujourd'hui. Ne prenez pas trop de temps. L'Angleterre est plus proche qu'on le croit. *(Corne de brume.)* Mais vous avez encore le temps de quitter le bateau !

LE BIOGRAPHE. Il lui offrit tout l'argent du monde.

LE DIPLOMATE. Je sais par expérience que votre historien transformera cet événement. Les historiens ne s'entendent pas sur une seule chose : l'histoire.

LE BIOGRAPHE. Il l'empoigna par le cou. Il lui arracha les yeux. Il le transperça d'une lame.

LE DIPLOMATE. Je peux comprendre votre souffrance. J'ai déjà souffert. Je peux comprendre votre horreur. Mais vous serez étonné. On s'habitue à tout. Dites-vous qu'en sacrifiant votre plus jeune fils, ce n'est qu'un autre fils qu'on sacrifie.

LE CAÏD. Hyacinthe, arrête de sourire.

HYACINTHE. Je croyais que ce voyage allait être d'un ennui mortel. On peut pas quitter le bateau, on se fait descendre sur le quai. Sans nos passeports, on peut pas débarquer à Liverpool. Si on descend le Diplomate, on ne sait pas où sont les passeports. Et ni vous ni moi ne pouvons le torturer. Quel voyage on va avoir !

LE BIOGRAPHE. Pas un mot, pas un geste.

SANDRO, *entrant. Il porte ses lunettes. (À son père.)* J'ai vérifié deux fois. Les trois valises, la brune et les deux vertes, et j'ai pas trouvé d'habit noir aux rayures jaunes et j'ai regardé avec mes lunettes.

LE CAÏD. Le moment est mal choisi pour me faire chier, Sandro.

SANDRO. *Mentanare la promessa ? Canadese !*

LE CAÏD. Pas en italien, Sandro !

SANDRO. Un habit noir aux rayures jaunes !

LE CAÏD. J'avais d'autres préoccupations que ta garde-robe !

SANDRO. Basta ! Y a beaucoup de garçons de mon âge qui seraient heureux d'avoir un père comme le mien, un père qui peut tout offrir mais personne voudrait de celui qui ne tient pas ses promesses. *(Au Diplomate.)* J'ai rencontré quelqu'un qui va m'offrir mon habit.

LE CAÏD. Qui ?

SANDRO. Quelqu'un ! *(S'adressant au Diplomate.)* Bonjour, monsieur. Tout se passe comme vous voulez ?

LE DIPLOMATE. Tout se passe bien.

SANDRO. Vous lui avez remis nos passeports ?

LE DIPLOMATE. Pas encore.

SANDRO, *à son père.* Eh oui, je sais tout ! Va falloir que tu me donnes de l'argent, j'ai un habit à faire nettoyer. Qu'est-ce que t'as, Hyacinthe ?

HYACINTHE. Rien. J'ai rien. J'ai mal aux mains. C'est tout.

LE DIPLOMATE. Vous saviez que Sandro laissait une amoureuse à Montréal ?

SANDRO, *fier.* Louise. Elle a dix-sept ans.

LE DIPLOMATE. Dix-sept ans ! C'est tout un honneur qu'il vous fait !

LE BIOGRAPHE. Un autre long silence.

LE DIPLOMATE. Je vous laisse avec votre famille. Je ne veux pas manquer le départ du bateau. *(Il sort.)*

LE CAÏD. On va trouver une solution.

HYACINTHE. Une solution ?

SANDRO. Parlez-vous de mon habit ?

LE CAÏD, *à Sandro.* C'est ça. On parlait de ton habit. *(Avec émotion.)* Un si beau visage qui nous rappelle les traits de ta mère et tu le massacres avec ces maudites lunettes.

SANDRO. Le moment est mal choisi pour évoquer le souvenir d'une femme à qui j'ai fait mes adieux hier pour vous suivre.

HYACINTHE, *se caressant les mains.* Sandro, tu sais que notre père nous aime ?

SANDRO. *La mamma ha detto : « Attento a tuo padre, lui si ricorda di avere... »*

LE CAÏD. Pas en italien !

SANDRO. Maman a dit : « Prends garde à ton père, il se rappelle qu'il a un cœur à chaque fois que ses affaires vont mal. »

LE BIOGRAPHE, *regardant le Caïd.* Silence ! *(Corne de brume.)*

ÉPISODE 3

Pont des premières classes. On entend faiblement la fanfare militaire. Le ministre, sa femme et leur fille Marguerite s'avancent sur le pont.

LE MINISTRE. Souris, Marguerite.

MARGUERITE. Je souris.

ALICE. Souris ! Ta vie publique commence.

MADEMOISELLE LAVALLÉE, *entrant et distribuant le drapeau de l'Union Jack.* Monsieur le ministre Gendron ! Madame Gendron ! Mademoiselle Gendron ! Tenez ! Agitez les drapeaux et regardez vers le hangar 14 ! C'est là que les photographes se trouvent.

LE MINISTRE. Il faut montrer aux gens que nous sommes à bord.

ALICE. Et heureux d'y être, je suppose ?

MADEMOISELLE LAVALLÉE. La reine a demandé à la *Royal Air Force* de changer le parcours des avions qui devront survoler le palais de Buckingham après le couronnement.

LE MINISTRE. Ah, oui ?

MADEMOISELLE LAVALLÉE. Elle ne veut pas que sa couronne tombe lorsqu'elle lèvera la tête pour les regarder.

LE MINISTRE. Fantastique ! T'as entendu, Alice ?

ALICE. Mademoiselle Lavallée ?

MADEMOISELLE LAVALLÉE. Madame Gendron ?

ALICE. Qui nous a assigné nos places à l'abbaye de Westminster ?

MADEMOISELLE LAVALLÉE. C'est Londres, madame.

ALICE. Devant un mur ? On nous a dit que la délégation canadienne allait passer neuf heures devant un mur sans rien voir du couronnement. Qu'est-ce qu'on va dire en rentrant ? Que la reine était gothique, de pierres noircies, et qu'un ménage s'impose ?

MADEMOISELLE LAVALLÉE. Je vais voir ce que je peux faire.

ALICE. Ne voyez pas ; faites ! On a donné trois fils à l'Angleterre, ça vaut bien trois sièges devant le spectacle, non ?

MADEMOISELLE LAVALLÉE. Je vais voir ce que je peux faire. *(Au ministre.)* Voici la liste de vos obligations.

LE MINISTRE, *lisant.* Fin de semaine au domaine de campagne du Vicomte et de Lady Alexander.

MADEMOISELLE LAVALLÉE, *lisant.* Dîner avec les premiers ministres Saint-Laurent et Churchill à la *National Gallery.*

LE MINISTRE. Thé sous la tente royale au palais de Buckingham....

ALICE. Mademoiselle Lavallée, j'aimerais aussi qu'on nous explique les raisons de notre inexplicable absence à la table du capitaine.

MADEMOISELLE LAVALLÉE. Je vais voir ce que je peux faire. *(Revenant au ministre.)* Visite guidée...

ALICE. Je n'ai pas terminé !

LE MINISTRE, *contrarié*. Elle n'a pas terminé.

ALICE. Au dîner du *Canada House* à Londres, d'après le plan des tables, vous nous avez assigné les places à côté de l'énorme reine Salote du Tonga. Vous ignoriez qu'elle ronfle à table ?

MADEMOISELLE LAVALLÉE. Je vais voir ce que je peux faire !

ALICE. Ne voyez pas ; faites !

MADEMOISELLE LAVALLÉE. Autre chose ?

ALICE. Oui.

MARGUERITE. Ça suffit, maman.

ALICE. Le bateau !

MADEMOISELLE LAVALLÉE. Quoi, le bateau ?

ALICE. Il va rouiller dans le port ?

MADEMOISELLE LAVALLÉE. Les Indiens !

ALICE. Quoi, les Indiens ?

MADEMOISELLE LAVALLÉE. Personne n'a vu les Indiens monter à bord. On ne lèvera pas l'ancre sans eux !

ALICE. Y a d'autres bateaux !

MADEMOISELLE LAVALLÉE. Vous nous voyez arriver à Londres sans Indiens ? Un bateau canadien sans Indiens ?

ALICE. Trouvez-les !

MADEMOISELLE LAVALLÉE. Je vais voir ce que je peux faire.

ALICE. Où avez-vous appris les rudiments du protocole, mademoiselle Lavallée ? Dans les pages du *Sélection du Reader's Digest* ?

MADEMOISELLE LAVALLÉE. Non, madame Gendron. À *Rideau Hall.* Et savez-vous ce que j'y ai appris de plus important ?

ALICE. Non.

MADEMOISELLE LAVALLÉE. Avant, je disais : « Arrêtez de me faire suer ». Maintenant je dis : « Je vais voir ce que je peux faire ». *(Elle sort.)* Les drapeaux ! Les drapeaux ! Qui veut des drapeaux ?

LE MINISTRE. Alice, aurons-nous droit à ça tout au long du voyage ?

ALICE. J'ai décidé de m'occuper de ta carrière politique. Et si tu te représentes aux prochaines élections...

LE MINISTRE. Je me représente.

ALICE. Je m'occupe aussi de ta campagne électorale !

Le Diplomate entre avec ses oiseaux. Il salue les Gendron.

LE DIPLOMATE. Monsieur le ministre. Madame.

LE MINISTRE. Bonjour, monsieur.

LE DIPLOMATE. Mademoiselle.

LE MINISTRE, *voyant sa fille quelque peu absente.* Marguerite !

MARGUERITE. Bonjour, monsieur !

LE MINISTRE. Ma fille représente notre pays au gala du couronnement.

LE DIPLOMATE. Mes félicitations.

MARGUERITE. À vrai dire, je remplace un autre pianiste.

LE MINISTRE. On dit merci, Marguerite.

MARGUERITE. Merci.

LE MINISTRE. Nous sommes très fiers d'elle.

ALICE. Des années d'efforts, les cours, le conservatoire, les privations, tout ça pour jouer devant la reine d'Angleterre. Avoir su, on l'aurait mise à la cornemuse. *(Au diplomate.)* Quelle horrible idée de mettre des oiseaux en cage !

LE DIPLOMATE. Elles sont nées en captivité.

ALICE. Comme nous tous.

LE MINISTRE. Votre épouse vous accompagne ?

LE DIPLOMATE. Non. Une grippe.

LE MINISTRE. Vous avez entendu, Alice ? L'épouse de monsieur a la grippe.

ALICE. Nos meilleurs vœux à Madame votre épouse !

LE MINISTRE. Marguerite !

MARGUERITE. Nos meilleurs vœux à Madame votre épouse ! *(Long silence.)*

LE MINISTRE. Elle a souvent la grippe ?

ALICE. Ça va, Joseph ! On a donné !

LE MINISTRE. Au fait, je n'ai pas le plaisir de vous connaître.

ALICE. Vous n'allez pas vous présenter à tous les passagers ? Sept jours de traversée, mille passagers. Attendez que le premier ministre déclenche les élections, avant de faire le pitre. *(Au diplomate.)* On nous présente constamment. On passe notre temps à serrer des mains et à se les laver par la suite. C'est ce qu'on appelle la politique canadienne. Après toutes ces années, j'essaie encore de comprendre de quoi est fait le charisme du politicien, par quel phénomène l'électeur se sent transporté à la seule poignée de main d'un élu.

LE DIPLOMATE. Le capitaine prévoit une traversée sans intempéries.

LE MINISTRE. C'est qu'il ne connaît pas ma femme.

ALICE. La dernière fois que j'ai traversé l'océan, c'était pour aller fleurir la tombe de mes fils en France.

LE MINISTRE. Nos fils sont morts à Dieppe.

LE DIPLOMATE. Le massacre de 42 ou la victoire de 44 ?

LE MINISTRE. 42.

ALICE. Le massacre.

LE DIPLOMATE. Belle jeunesse !

LE MINISTRE. Belle jeunesse !

ALICE. Pour le salut de l'Angleterre !

LE MINISTRE. Pour le salut de l'Europe !

ALICE. Un drame canadien.

LE MINISTRE. Il nous fallait aider Churchill !

ALICE. Un drame britannique.

LE MINISTRE. Il nous fallait aider Staline !

ALICE. Un drame russe ! C'est le gouvernement de mon mari qui a autorisé le débarquement de Dieppe. Pierre, 22 ans, Paul, 18 ans et Arthur.

LE MINISTRE. Arthur est toujours vivant !

ALICE. Un morceau d'homme. On manque d'espace sur son corps pour y accrocher les médailles. Il ne nous reste qu'une fille et elle va jouer pour la reine d'Angleterre.

MARGUERITE. Bon ! Moi, j'ai des choses à ranger dans ma cabine.

LE MINISTRE. Marguerite.

MARGUERITE. Vous allez devoir m'excuser mais j'ai des choses à ranger dans ma cabine.

LE MINISTRE. Tu restes avec nous. Je veux que tu voies comment ton père honore ses responsabilités.

MARGUERITE. On dit qu'il va pleuvoir à Londres.

ALICE. Il faisait beau à Dieppe. Les Allemands avaient une vue imprenable sur la plage.

LE MINISTRE. Il y aura neuf jeunes Canadiennes dans la chorale du couronnement à l'abbaye de Westminster.

LE DIPLOMATE. Je ne savais pas.

ALICE. C'est le cousin de la reine, l'oncle préféré de son mari, Lord Mountbatten, c'est lui qui a improvisé Dieppe !

LE MINISTRE. *(Temps.)* Radio-Canada va être la première télévision en Amérique à diffuser toute la cérémonie du couronnement. Seulement douze heures de décalage et un impressionnant relais d'avions.

LE DIPLOMATE. Je suppose qu'il y aura de la musique aussi sur le reportage du couronnement.

LE MINISTRE. Vous n'aimez pas la musique ?

LE DIPLOMATE. Durant la guerre, il y avait de la musique sur les nouvelles filmées qui nous provenaient d'Europe.

LE MINISTRE. Oui. Une musique fière.

LE DIPLOMATE. Fière, rassurante, parfois même triomphale, et le commentaire sur nos pertes était à la limite de l'enthousiasme. On n'entendait ni les prières, ni les souffles courts de la peur, ni les poumons qui râlent le dernier soupir, ni les dernières paroles échangées, celles qu'on devait rapporter aux mères, aux veuves et aux orphelins, ni les cris d'une jeunesse qui expire. Rien.

Rien de tout cela n'a traversé l'Atlantique. Ici, la musique enterrait le son de l'Histoire. Là-bas, nos soldats étaient de la chair à canon. Ici, ils étaient une mélodie. J'espère qu'on ne mettra pas de musique sur le reportage du couronnement. Ça serait dangereux si les gens croyaient que tout cela, c'est rassurant. Neuf de nos jeunes compatriotes enterrant les voix de milliers de nos cadavres.

LE MINISTRE. Je ne comprends pas.

LE DIPLOMATE. J'étais à Dieppe lors du massacre. J'y ai sûrement croisé les âmes de vos fils. Madame, monsieur. *(Il s'éloigne un peu.)*

LE MINISTRE. Quel homme étrange !

ALICE. J'ai de la sympathie pour lui. Il s'appelle comment déjà ?

LE MINISTRE. Je ne sais pas. On a pas eu la chance d'être présentés. *(Hyacinthe entre et s'appuie sur le bastingage.)* Tu viens, Alice !

ALICE. On est bien ici.

LE MINISTRE. Les photographes se déplacent. Viens.

MARGUERITE, *n'ayant d'yeux que pour Hyacinthe.* Je vous rejoins.

Le Ministre et sa femme s'éloignent. Marguerite rejoint Hyacinthe.

MARGUERITE. C'est la première fois que je prends le bateau. J'ai peur d'avoir le mal de mer mais on dit qu'au printemps la mer est plus calme. Les gens sur les quais nous envient.

HYACINTHE. Des petits maquereaux, des quêteux, des grenouilles de bénitiers, des ruine-babines, des porteurs d'eau, des aboyeurs...

MARGUERITE. Vous ne devriez pas dire ça.

HYACINTHE. C'est dit.

MARGUERITE. Je suis Marguerite Gendron.

HYACINTHE. Je ne veux pas vous connaître.

MARGUERITE. Dites-moi quelque chose de gentil.

HYACINTHE. Pourquoi je vous dirais quelque chose de gentil ?

MARGUERITE. Allez !

HYACINTHE. Votre robe est propre.

MARGUERITE. Quelque chose de tendre maintenant.

HYACINTHE. J'aime la viande rouge et tendre.

MARGUERITE. Vous êtes drôle.

HYACINTHE. Je ne suis pas drôle.

MARGUERITE. Je suis Marguerite Gendron.

HYACINTHE. Je ne veux pas vous connaître !

MARGUERITE. C'est moi qui vous remplace au gala du couronnement. *(Temps.)*

HYACINTHE. Vous voudriez lacer mes souliers ? C'est à cause de mes mains. Je n'y arrive pas.

MARGUERITE. Vos souliers sont parfaitement lacés.

HYACINTHE. J'ai vu dans votre œil.

MARGUERITE. Qu'est-ce que vous avez vu ?

HYACINTHE. Vous avez manqué la vente de poteries au centre des infirmes. Y a une dame qui a acheté deux sculptures abstraites. Ce qu'elle ne savait pas, la dame, c'est que l'artiste avait tenté de faire des bols à salade. C'est à cause de ses mains. Il n'y arrive pas. J'ai vu dans votre œil.

MARGUERITE. Qu'est-ce que vous y avez vu ?

HYACINTHE. Lorsqu'on a été comblé de regards admiratifs et qu'il faut s'habituer à cet autre regard, voyez-vous, ça, moi, je n'y arrive pas.

MARGUERITE. J'aurais dû commencer par vous dire que j'étais désolée pour vos mains.

HYACINTHE. C'est dit.

MARGUERITE. J'aurais dû vous dire que vous étiez un grand pianiste.

HYACINTHE. C'est fait. Maintenant laissez-moi.

MARGUERITE. La première fois que je vous ai entendu, c'était au *Cercle musical* du Ritz-Carlton. Quel récital ! *(Regardant ses mains.)* Arthrose ?

HYACINTHE. Non. J'ai joué Chopin.

MARGUERITE. On m'avait prévenue que vous étiez amer.

HYACINTHE. Alors pourquoi vous restez là ? L'amertume vous attire ?

MARGUERITE. Vous m'avez toujours impressionnée !

HYACINTHE. Vous voulez vous excuser d'avoir pris ma place ? D'avoir explosé de joie à l'annonce de mon malheur ?

MARGUERITE. N'allez pas croire que...

HYACINTHE. On attend tous que l'autre se casse le cou pour prendre sa place. Chacun a sa place sur l'échiquier de chacun.

MARGUERITE. Je ne voudrais pas...

HYACINTHE. Voler les miettes de ce qui fut grand ? Mettre à votre tableau d'honneur nos minutes d'intimité ? J'ai vu le Grand disciple de Chopin ! J'ai vu sa déchéance ! J'ai vu l'échec !

MARGUERITE. Tout à l'heure quand je vous ai vu sur le pont...

HYACINTHE. Jour et nuit, je travaillais au piano et je me disais que l'échec c'était sûrement la seule façon de me reposer, de calmer le chaos qui m'habitait, de donner un répit à la fougue, de me propulser dans la vraie vie. Je n'ai jamais été aussi agité. Je me réveille fatigué. Mes rêves sont des litanies de lamentations. Regardez-moi. Il y a le deuil et la peine.

MARGUERITE. Je ne voulais pas...

HYACINTHE. Alors qu'est-ce que vous voulez, Marie ?

MARGUERITE. Marguerite !

HYACINTHE. Je n'ai pas la mémoire qu'il faut pour retenir le nom des deuxièmes choix.

MARGUERITE. Je veux Chopin ! J'ai eu votre place mais j'ai aussi eu votre programme. Je suis l'amante de Liszt. J'ai besoin de vous pour m'initier aux secrets de Chopin.

HYACINTHE. Chopin est mort une deuxième fois il y a deux mois.

MARGUERITE. Ce gala, c'est la grande chance, celle qui ne passe qu'une fois.

HYACINTHE. Quel tact !

MARGUERITE. Quand on m'a dit que je jouerais votre programme, tout est devenu sombre.

HYACINTHE. Vous porterez du noir.

MARGUERITE. Chopin ne porte qu'un costume, celui de la mélancolie. Il s'habille d'échecs amoureux. Il se cintre l'âme jusqu'à l'exaltation. Qu'on m'habille de noir, de blanc, de rouge, en si peu de temps, je ne trouverai jamais au fond de moi les couleurs dont Chopin se vêt.

HYACINTHE. Il vous faut quoi pour jouer Chopin ? Une grande peine d'amour ? La salle sera remplie de vieilles aristocrates dont les diamants collent aussi mal à leurs montures que leurs dentiers à leurs bouches, de faux amants de la musique qui confondent fausses notes et Bartòk, des fumistes qui assistent aux concerts pour montrer leurs habits qui ne reflètent en rien ce qu'ils sont vraiment. De la reine jusqu'à vous, tout ne sera que conventions. Donnez-leur l'impression que vous avez souffert. Et n'oubliez pas. Aux saluts, penchez la tête vers la droite, c'est là que la reine se trouve. Ensuite prenez les pans de votre robe et fléchissez les genoux ! Si une larme vient, laissez couler ! Le public adore l'émotion. Si la reine frappe dans ses mains plus de vingt fois, votre carrière est assurée dans tout le Commonwealth, sinon on vous appellera « la Canadienne ».

MARGUERITE. Soyez mon âme, je serai vos mains. *(Temps.)* En retour, vous pouvez me demander n'importe quoi !

HYACINTHE. Rendez-moi heureux. *(Temps.)*

MARGUERITE. Quoi ?

HYACINTHE. Rendez-moi heureux. Redonnez-moi un sourire qui ne soit pas cynique. Enlevez-moi la tristesse que j'ai au fond des yeux. Faites-moi croire que les gens sont bons, que les mères s'inquiètent pour leurs enfants, que les pères veillent sur eux...

MARGUERITE. Je ne comprends pas.

HYACINTHE. Faites l'impossible ; rendez mon voyage agréable.

MARGUERITE. La sécheresse de votre cœur effraie.

HYACINTHE. Je ne vous demande pas d'être l'amour qui donne le vertige, celui qui crée les fantasmes. Soyez l'amour de passage, celui qui soigne, celui qui panse les blessures. Soyez l'amour entre deux battements du cœur, celui qu'on use un temps et qu'on jette après. Je n'ai pas connu la tendresse féminine depuis si longtemps. Mon père serait si heureux.

MARGUERITE. Je ne peux pas.

HYACINTHE. Racontez-moi votre vie. J'y trouverai peut-être l'inspiration pour continuer la mienne. Choisissez les souvenirs qui attendrissent. S'il le faut, inventez.

MARGUERITE. Inventer ? Ce n'est pas sincère. L'amour est sincère. On ne joue pas ses sentiments.

HYACINTHE. Mon père dit que ça vient avec l'âge.

MARGUERITE. C'est absurde.

HYACINTHE. Absurde ? J'ai toutes les raisons du monde pour quitter ce bateau et je reste là. Ça c'est absurde ! Allez, dites-moi quelque chose de gentil. *(Plusieurs sons de corne de brume. Tous les passagers entrent sur le pont.)*

MADEMOISELLE LAVALLÉE, *distribuant des drapeaux.* Agitez les drapeaux ! Les Indiens sont à bord ! On peut partir. Regardez les photographes devant le hangar 18, agitez les drapeaux et souriez ! C'est la princesse Margaret qui représente la reine aujourd'hui au mariage de la princesse Ragnhild de Norvège. Elle épouse Erling Lorentzen, un armateur !

MARGUERITE, *perdue.* Fantastique !

MADEMOISELLE LAVALLÉE. Le câble dit que Lorentzen lui a dit : « oui » d'une voix assurée, et la princesse lui a répondu d'une voix faible. Je ne savais pas que la princesse Ragnhild était la cadette de la princesse Astrid. Vous ?

MARGUERITE, *poliment.* Je savais pas qu'il y avait une monarchie en Norvège.

MADEMOISELLE LAVALLÉE. Non mais qu'est-ce qu'on vous enseigne dans les conservatoires ?

HYACINTHE. On leur apprend à copier les génies.

ÉLISABETH TURCOTTE. Le bateau bouge !

ÉLISABETH MÉNARD. Le bateau bouge ! On part.

ÉLISABETH TURCOTTE. Vite, Élisabeth, on quitte le port.

ÉLISABETH PENINGTON, *entrant.* J'arrive, j'arrive.

SANDRO, *à Hyacinthe.* Y a des gageures sur une course de petits bateaux à tribord. Tu me donnes des sous ?

HYACINTHE. Non.

SANDRO. Tu sais, j'aurais aimé ça aller te voir à l'hôpital mais ma mère ne voulait pas. Elle a dit que c'était dangereux. Mais j'ai pensé souvent à toi.

HYACINTHE, *touché.* Ah, oui ?

SANDRO. Je t'ai même trouvé un nouveau métier. Boxeur. T'as peut-être pas la forme mais t'as déjà le tempérament. *(Hyacinthe sourit.)*

ÉLISABETH TURCOTTE. Mon Dieu que c'est haut !

ÉLISABETH MÉNARD. Je vois jusqu'à chez nous.

SANDRO. Je me suis ennuyé de toi. J'aurais bien aimé te voir à l'hôpital mais ma mère...

HYACINTHE. Sandro ?

SANDRO. *Cosa ?*

HYACINTHE. T'es pas en train de me dire tout ça pour de l'argent ?

SANDRO. Juste ce qu'il faut pour gager.

HYACINTHE. T'es dégoûtant. *(Il lui donne de l'argent.)*

SANDRO. *Grazie !*

MADEMOISELLE LAVALLÉE. On bouge ! On bouge !

LE MINISTRE. On bouge, Alice !

Le Caïd se présente sur le pont avec son Biographe.

ALICE. Joseph, voilà le pourvoyeur de ton parti !

LE MINISTRE. Qu'est-ce qu'il fait ici ?

ALICE. Tu ne le salues pas ?

LE MINISTRE. Tu ne lis pas les journaux ?

ALICE. Bien le bonjour, Caïd !

LE MINISTRE, *catastrophé.* Alice, y a des photographes !

HYACINTHE, *à son père.* Vous avez trouvé une solution ?

LE CAÏD. J'ai tout arrangé !

HYACINTHE. C'est quoi la « solution » ?

LE DIPLOMATE. Sandro, venez près de moi.

SANDRO. J'arrive. *(Montrant l'argent que Hyacinthe lui a donné.)* J'ai l'argent pour faire nettoyer votre habit.

HYACINTHE, *ironique.* Tout semble « arrangé », comme vous dites.

On entend la fanfare jouer l'hymne God Save the Queen.

SANDRO, *à Mademoiselle Lavallée.* C'est l'hymne national ?

MADEMOISELLE LAVALLÉE. C'est *God Save the Queen* !

LE DIPLOMATE. Cette musique effraie mes oiseaux.

ALICE. Elle effraie aussi les Hindous, les Pakistanais et les Canadiens français.

Alice va se mettre aux côtés du Caïd.

LE MINISTRE. Voulez-vous bien rester près de moi.

ALICE. D'ici, on a une très belle vue du Palais de justice !

LE MINISTRE. Alice !!!

SANDRO. Ils ont largué les amarres.

LE BIOGRAPHE. C'était un grand bateau blanc qui s'avançait sur une époque entre deux courants. La dernière grande guerre avait anéanti le peu d'innocence qu'il restait chez l'être humain.

LE DIPLOMATE. Le bateau quitte le port, Caïd !

Les Élisabeth saluent des gens sur le quai.

ÉLISABETH TURCOTTE, *excitée.* Élisabeth, regarde, c'est mon fiancé sur le quai !

ÉLISABETH MÉNARD, *également excitée.* Le mien est là aussi, Élisabeth.

ÉLISABETH PENINGTON, *sans enthousiasme.* Mes parents ! Ben oui, c'est mes parents...

LE MINISTRE. Marguerite, viens près de nous.

MADEMOISELLE LAVALLÉE. On bouge ! On bouge !

LE DIPLOMATE. Agitez votre drapeau, Sandro.

LE BIOGRAPHE. Désormais tout être humain avait une place sur l'échiquier de chacun. Chacun avait son prix et chacun se marchandait. Il n'y avait plus que des symboles d'antan tel l'avenir prometteur d'une jeune reine qu'on couronnait pour nous faire croire à des lendemains meilleurs.

MARGUERITE. Vous voulez... Vous voulez que je tienne votre drapeau ?

HYACINTHE. Quel tact !

LE CAÏD, *au Biographe.* Plus beau, plus fort, plus grand !

LE BIOGRAPHE. Bientôt, ils s'affranchiront de leurs soucis pour admirer l'immensité de l'océan. Des événements réguliers marqueront chaque journée : cinématographe, cocktails, jeux de société, bals, compétitions sportives sur les ponts et surtout, surtout les abondants repas, particulièrement soignés. Ça vous va comme ça, monsieur ?

LE DIPLOMATE. Votre drapeau, Sandro !

DEUXIÈME PARTIE

ÉPISODE 4

Salon des fumeurs. Une des grandes portes de la salle de bal est entrouverte, éclairant la silhouette du Caïd qui fume un cigare. Son Biographe est près de lui. Il écoute la musique provenant de la salle de bal. On y répète Chopin. Il se dégage une grande tristesse de l'ensemble.

LE BIOGRAPHE. Les passagers avaient hâtivement défait leurs malles et vérifié une fois de plus leurs atours pour les festivités londoniennes. Le bateau voguait calmement, sans drame apparent, sans histoire. Le Caïd des caïds avait, quant à lui, tout au long du Saint-Laurent, largué un à un les souvenirs de ses exploits. Trois-Rivières, une habile transaction. Rivière-du-Loup, un règlement de compte. Québec, les soirées dansantes et la conquête des jolies jambes.

LE CAÏD. Vous arrivez encore à inventer quelque chose ?

LE BIOGRAPHE. C'est le propre de l'historien d'interpréter les silences du héros.

LE CAÏD. Et comment vous interprétez celui de ce soir ?

LE BIOGRAPHE. J'ai des enfants aussi, monsieur et...

LE CAÏD. Et puis ?

LE BIOGRAPHE. J'essaie d'être le plus proche d'eux. On essaie de se dire la vérité et il nous arrive ensemble de trouver des solutions.

LE CAÏD. Parfois, je vous envie, vous, les petites gens.

LE BIOGRAPHE. Sandro entra avec les oiseaux. *(Sandro entre et enlève ses lunettes qu'il range dans sa poche.)*

LE CAÏD. Je veux pas le voir.

SANDRO. Je suis déjà là, papa.

LE BIOGRAPHE. Estuaire du Saint-Laurent. Deuxième journée de traversée. Je vous demande un whisky, monsieur ? *(Le Biographe sort.)*

SANDRO. Je t'ai attendu à la salle à manger.

LE CAÏD. Tu m'as attendu ?

SANDRO. T'avais pas faim ?

LE CAÏD. J'avais pas faim.

SANDRO. T'as manqué la colère de la femme du ministre.

LE CAÏD. Elle a fait une colère ?

SANDRO. Elle voulait être assise à la table du capitaine. *(Temps.)* Le capitaine lui a donné sa place.

LE CAÏD. J'ai manqué ça.

SANDRO. C'est la remplaçante qui joue ?

LE CAÏD. Qui ?

SANDRO. C'est Hyacinthe qui l'appelle comme ça.

LE CAÏD. Je sais pas qui joue.

SANDRO. La brume a disparu. On voit plus les lumières de la Côte-Nord.

LE CAÏD. Déjà ?

SANDRO. C'est très noir.

LE CAÏD. Ah, oui ?

SANDRO. Hyacinthe est encore sur le pont.

LE CAÏD. Toujours à la même place ?

SANDRO. Il y a passé toute la nuit dernière.

LE CAÏD. C'est à cause de ses mains.

SANDRO. Faudrait lui dire de rentrer. *(Parlant des oiseaux.)* La plus grosse, c'est Atlantique. L'autre, c'est Pacifique.

LE CAÏD. On promène les chiens, pas les oiseaux, à ce que je sache !

SANDRO. Il a connu plein de femmes.

LE CAÏD. Qui ça ?

SANDRO. Le Diplomate. Il m'a montré des photos. Elles sont très bien faites. Mais la plus jolie, c'est sa femme.

LE CAÏD. Y a des jeunes de ton âge sur le bateau avec qui tu peux t'amuser et d'autres lieux que la cabine d'un diplomate.

SANDRO. 259 en première classe, 441 en classe touriste.

LE CAÏD. Sandro !

SANDRO. *Quattro saloni, tre sale da pranzo, due sale da ballo...*

LE CAÏD. Arrête !

SANDRO. C'est la première fois que quelqu'un d'important s'intéresse à moi.

LE CAÏD. Mets tes lunettes !

SANDRO. Tu trouves que ça m'enlaidit !

LE CAÏD. Tu peux le revoir si tu remets tes lunettes.

SANDRO. Je peux vraiment le voir ? *Grazie ! (Se reprenant rapidement.)* Merci !

LE CAÏD. Est-ce qu'on s'est déjà vraiment parlé, toi et moi ?

SANDRO. C'est pas ce qu'on vient de faire ?

LE CAÏD. Parler, d'homme à homme.

SANDRO. On se dit plein de choses sans importance, mais c'est comme ça que les hommes se parlent, non ?

LE CAÏD. Dans la vie, tu sais, parfois faut faire de grands sacrifices pour les autres.

SANDRO. Moi, j'en fais un immense pour toi. *(Temps.)*

LE CAÏD, *troublé.* Qu'est-ce que tu veux dire ?

SANDRO. Je sais tout. Le diplomate m'a tout expliqué.

LE CAÏD. Tu sais quoi ?

SANDRO. Je sais que d'oublier Louise pour toi, pour te suivre, c'est un grand sacrifice. *(Temps.)* Tu pleures ?

LE CAÏD. C'est à cause de la musique.

SANDRO. Un jour, Dieu apparut à un homme dont la foi était inébranlable. Il lui dit : « Aiguise ton couteau, prépare le bois pour un bûcher, charge-le sur le dos de ton fils et rendez-vous tous deux à la plus haute des montagnes. Rendu à son sommet, immole ton fils, le bien-aimé, en sacrifice pour moi. » L'homme aiguisa son couteau, fendit le bois et en chargea son fils. C'est alors que le fils demanda au père où était l'animal qu'il devait sacrifier. Quel mouton ? Quelle brebis ? Quel bélier ? Il lui répondit que Dieu verrait à cela. Rendu à l'endroit indiqué, le père prépara le bûcher et, profitant du sommeil de son fils, il lui lia les mains et les pieds. Son cœur et son âme étaient tristes mais il savait que c'était pour assurer sa prospérité. Étrange. Sacrifier sa descendance pour assurer son avenir. Les légendes sont comme ça. Le père plaça son fils sur le bûcher. Il leva au ciel son bras armé du couteau et là, une seconde, deux secondes...

LE CAÏD. Assez !

SANDRO. J'ai pas fini.

LE CAÏD. Depuis qu'on est à bord, tu trouves tous les moyens pour m'agacer.

SANDRO. J'avais pas fini.

LE CAÏD. Quand c'est pas une histoire d'habit, c'est une histoire de curé. Dieu voyage avec le petit monde, en classe touriste, deux ponts plus bas. Laisse-le où il se trouve.

SANDRO. J'avais pas fini.

LE CAÏD. Qui t'a raconté cette histoire ?

SANDRO. Quelqu'un.

LE CAÏD. Qui ?

LE DIPLOMATE, *entrant.* C'est moi. C'était pour le consoler.

LE BIOGRAPHE, *entrant.* Le salon des fumeurs s'illumina et s'anima d'une foule d'adeptes prêts à goûter encore aux nombreux récits des exploits du Caïd.

La pièce s'illumine. Willy et Jeremy entrent et servent des alcools aux hommes. Alice, le Ministre et les trois jeunes Élisabeth les suivent.

ALICE, *au Diplomate.* On est devenu un pays riche en fournissant aux autres le nécessaire pour s'entretuer. Comme le nazisme est mort, il nous faut un nouveau spectre pour faire tourner nos usines de guerre. Le communisme est le prétexte parfait. Pourquoi croyez-vous qu'on se bat en Corée ?

LE MINISTRE. Parfois les petites choses de la vie me manquent, comme « Chéri, j'ai vu un collier à la boutique du bateau. »

On rit. On s'installe pour jouer aux cartes.

ALICE. Vous voulez jouer avec nous, Caïd ?

LE MINISTRE. Je doute que monsieur joue au bridge !

ALICE. Un poker alors ?

LE BIOGRAPHE. Mot magique !

ALICE. La rumeur veut que vous soyez un redoutable joueur !

LE BIOGRAPHE. « Redoutable » ; elle savait vraiment choisir les mots.

LE MINISTRE, *ignorant le Caïd.* Bridge, Alice !

LE DIPLOMATE. Tu sais jouer au poker, Sandro ?

SANDRO. Deux paires, brelan, quinte, couleur, main pleine, carré, quinte couleur et quinte royale.

LE MINISTRE. Bridge !

SANDRO, *au Ministre.* On peut jouer aussi au black jack.

LE MINISTRE. Alice, donnez les cartes.

ALICE, *elle s'assoit près du Caïd.* Comment vont nos amis italiens, Caïd ?

LE MINISTRE. Vous devez confondre monsieur avec quelqu'un d'autre.

ALICE, *au Caïd.* Vous leur ferez nos amitiés. Du moins, à ceux qui sont encore en liberté. Depuis quelques mois, on passe notre temps à déchirer les pages de nos carnets d'adresses. Leurs pots-de-vin vont nous manquer...

SANDRO. C'est quoi un « pot-de-vin » ?

ALICE. Demandez à votre père.

Marguerite entre dans le salon des fumeurs avec ses partitions en main.

LE MINISTRE. Tu répétais, ma chérie ?

ALICE. C'est la reine qui va être contente !

MARGUERITE. Vous jouez à quoi ?

SANDRO. On joue à décider du jeu.

LE CAÏD, *le rappelant à l'ordre.* Sandro !

SANDRO. C'est elle qui remplace mon frère. Ça veut dire quoi « être pistonné » ?

ALICE. Cette fois-ci, demandez à mon mari.

LE MINISTRE, *tentant une diversion.* Comme ça, vous vous appelez toutes les trois Élisabeth ?

ÉLISABETH TURCOTTE. Élisabeth Turcotte.

ÉLISABETH MÉNARD. Élisabeth Ménard.

ÉLISABETH PENINGTON. Élisabeth Penington.

LE MINISTRE. Alice, vous saviez qu'elles étaient toutes les trois lauréates d'un concours ?

ÉLISABETH TURCOTTE. Le concours était organisé juste pour les filles qui s'appelaient Élisabeth.

ÉLISABETH PENINGTON. Pis qui sont nées le même jour que la reine.

ÉLISABETH MÉNARD. On est vingt et une sur le bateau.

LE MINISTRE. Vingt et une !!!

ÉLISABETH TURCOTTE. Les autres sont en classe touriste.

LE MINISTRE, *semblant intéressé.* Ah, bon !

ÉLISABETH PENINGTON. Y avait un concours dans le concours. Y en choisissaient trois sur les vingt et une pour être en première classe.

ÉLISABETH MÉNARD. Nous autres, on est en surclassement.

ALICE. Ça se voit à l'oreille ! Black jack, quelqu'un ?

LE DIPLOMATE. Il nous faut décider de la mise.

LE MINISTRE. Y a pas de mise au bridge.

ÉLISABETH TURCOTTE. Les bourses pis les souliers, c'est fourni par Simpson-Sears.

ÉLISABETH MÉNARD. Les gants, c'est Eaton.

LE MINISTRE. Les cartes sont assez brassées, Alice.

MARGUERITE, *aux stewards.* Un thé.

LE CAÏD. Sandro, tu choisis une de ces jeunes demoiselles et tu t'assois près d'elle.

SANDRO. Avec le Diplomate !

LE DIPLOMATE. C'est lui qui insiste.

SANDRO, *mettant ses lunettes.* S'il te plaît ! *(Sandro s'installe près du Diplomate.)*

LE MINISTRE. On est trop de joueurs pour un bridge. Deux équipes de deux.

Malgré ce que dit le Biographe, Alice ne donne jamais les cartes, qu'elle continue de brasser.

LE BIOGRAPHE. Une partie de cartes s'engagerait. La femme du Ministre gagnerait la première partie. Main pleine aux rois.

LE DIPLOMATE, *à tous.* Saviez-vous que l'alouette symbolise l'élan de l'homme vers la joie ?

LE BIOGRAPHE. Ensuite, ce serait au tour du Diplomate de ramasser la mise, et ce, sans abattre ses cartes.

WILLY. *Tea, Madam* ?

ALICE. Cognac, comme ces messieurs.

LE MINISTRE. Vos médicaments, Alice. *(Aux stewards.) Madame wants a tea.*

ÉLISABETH MÉNARD. *Me too.*

ÉLISABETH TURCOTTE. *Me too.*

ÉLISABETH PENINGTON. *Me too.*

ALICE. Cognac !

JEREMY, *aux Élisabeth. Cream* ? *Sugar* ?

ÉLISABETH TURCOTTE. *Me too.*

ÉLISABETH PENINGTON. *Me too.*

ÉLISABETH MÉNARD. *Me too.*

LE CAÏD. Whisky !

LE BIOGRAPHE. La chance tournerait en faveur du Caïd. Il gagnerait trois fois, coup sur coup.

Mademoiselle Lavallée entre en tenant un immense panache de chef indien.

MADEMOISELLE LAVALLÉE. Je lui ai demandé de mettre son panache. Seulement pour ce soir. Il refuse. Ils refusent tous. J'ai beau leur expliquer que ça nous ferait très plaisir. J'ai beau leur dire qu'il y a des Belges à bord, des Français, même des Britanniques, et que ça leur ferait des beaux souvenirs à raconter. Non. Aucune coopération. *(Elle sort.)*

ÉLISABETH PENINGTON. Ce que je trouve de très très bien en première classe, c'est que tout le monde est poli.

ÉLISABETH MÉNARD. Tout le monde se dit bonjour.

ÉLISABETH PENINGTON. Tout le monde se parle avec des beaux mots.

ALICE. On sait jamais de qui on aura besoin.

ÉLISABETH MÉNARD. On dit que ça coûte très cher la première classe.

ALICE. Je ne sais pas. Une subvention ! bribe

LE MINISTRE. Les cartes, Alice !

LE DIPLOMATE. Les élections, c'est pour bientôt ?

ALICE. Le premier ministre va nous gâcher notre été. Je me vois déjà suant dans un trou de province, dans une fête mariale quelconque, assise dans une charrette tirée par des chevaux, faisant des « tatas » aux colons. Quelle misère ! Je me vois visitant les mourants dans les hôpitaux, essayant de leur arracher un vote, avant que les médecins ne leur arrachent l'âme. Je déteste les malades, ils ont l'air si... malades.

LE DIPLOMATE. La rumeur parle du mois d'août.

ALICE. Le dix !

LE MINISTRE, *explosant.* Alice !

MARGUERITE. Maman !

ALICE. Les élections auront lieu le dix août !

LE MINISTRE. Alice et les dates ! Je suis le seul à me souvenir de notre anniversaire de mariage !

ALICE. C'est un truc pour me faire taire.

LE MINISTRE. Préfères-tu que je te dise tout simplement de te taire ? *(Malaise. Alice brasse les cartes énergiquement.)*

ALICE. Me taire ? C'est ce que je fais depuis que nous sommes entrés en politique. J'étais sotte de croire que c'était une tribune pour ceux qui avaient des opinions.

MARGUERITE, *voulant se retirer.* Vous allez m'excuser…

ALICE. Tu restes ! Je veux que tu voies comment ta mère honore ses responsabilités.

ÉLISABETH MÉNARD, *regardant le Diplomate.* Y a aussi des beaux célibataires en première classe.

ALICE. S'il a de beaux yeux vous finirez dans un de ses bordels. S'il parle bien, vous finirez femme de ministre.

ÉLISABETH PENINGTON. J'aimerais beaucoup ça.

ALICE. Putain ou femme de ministre ?

ÉLISABETH PENINGTON. Femme de ministre !

ALICE. Tenir votre sac à main, une gerbe de fleurs, le programme de la journée, tout ça d'un seul bras, des heures durant, sans paralyser ? Bâiller élégamment lors des réceptions ? Dormir l'œil ouvert pendant les discours ? Passer vos journées à sourire bêtement ? Développer une dépendance aux sandwichs de fantaisie ? Vous émouvoir devant des cadets boutonneux qui vous remettent des bestioles empaillées ? Avaler, sans grimacer, aussi bien une soupe esquimaude de phoque dans un bouillon de gras de baleine que des lanières de bison séché des Prairies canadiennes ? Tout ça, ça vous intéresse ? Vous habiller à la mode outaouaise ? Ça vous intéresse vraiment ?

ÉLISABETH PENINGTON. Ben là…

ALICE. Avoir honte de votre richesse dans les quartiers démunis ? Retenir vos larmes dans les orphelinats ?

LE MINISTRE. Alice !

61

ALICE, *plus grave.* Jauger les autres et reconnaître rapidement quel rang ils occupent dans la société ? D'un seul regard, vous rendre complice des gens que vous détestez et ignorer ceux que vous aimez ? Savoir vous servir au bon moment des mots qui blessent ou qui inspirent la crainte ? Prendre plaisir à côtoyer les magouilleurs de canton, les patroneux d'arrière-pays ? Partager votre table avec la mafia locale ?

LE MINISTRE. Viens.

ALICE. Exploiter la démagogie de l'heure, flairer la piastre à faire, alimenter la rumeur ? Mouiller dans les complots ? User des vices d'une loi pour protéger vos intérêts ? Ça vous intéresse ? Jeune fille, vous finirez par parler la langue des slogans officiels, celle qui maquille les controverses de l'histoire.

MARGUERITE. On va prendre congé !

ALICE. Pourquoi ? La partie vient de commencer !

LE MINISTRE. Un petit effort, Alice !

ALICE, *jetant les cartes par terre.* Depuis des années, Joseph, je suis à tes côtés la preuve vivante de tout ce que l'effort peut accomplir. Je me lève dans l'effort et je me couche dans l'effort. Chaque fois que je pousse la chaise roulante de notre reste de fils, chaque fois que je lui donne son bain, chaque fois que je le fais manger, je fais un effort, un effort patriotique. Je fais l'effort d'essayer d'oublier ! Je fais l'effort de suivre la doctrine de ton parti : l'amnésie, *coast to coast* ! Ton gouvernement a élevé la faculté d'oublier au rang des valeurs nationales. Ton gouvernement a réussi à nous faire croire que le massacre de Dieppe n'avait pas existé, que c'était juste une simple répétition générale pour un débarquement futur. Nous sommes mille deux cents mères canadiennes à avoir donné naissance à des figurants pour une répétition générale. Nos fils ne sont pas vraiment morts ; ils répétaient !

absurdité de la guerre

LE MINISTRE. On comprend ta peine mais ça fait onze ans.

ALICE. Onze ans que je me rappelle la grande bavure de l'état-major britannique. Onze ans que tu oublies. Il devait faire nuit, il faisait jour.

LE MINISTRE. Nos fils sont des héros. —— *l'histoire dit ça le dominant*

ALICE. Il devait faire brouillard, il faisait soleil.

LE MINISTRE. Ils se sont battus pour le salut du monde.

ALICE. La plage devait être de sable, elle était de roches.

LE MINISTRE. Ils ne se sont pas cachés dans les clochers d'église, ni dans une course au mariage en épousant la première venue, encore moins derrière les discours des nationalistes.

ALICE. Savez-vous comment mes fils ont répété leur mort ? Ils attendaient dans leur bateau avec six cents autres Canadiens français l'ordre de débarquer. Pendant que sur la plage les Ontariens, les Manitobains, les Néo-Écossais versaient déjà leur sang.

dimension ? car de la pièce plutôt que ac.

LE DIPLOMATE. Du haut des falaises, les Allemands maîtrisaient tout.

ALICE. Par miracle, une dizaine d'Ontariens ont réussi à franchir la plage et à entrer dans la ville. Aussitôt à l'abri, ils ont envoyé un court message radio au Quartier général pour annoncer leur exploit. Mais là...

LE DIPLOMATE. La transmission radio a été brouillée pendant une seconde, deux secondes.

ALICE. Une seconde, deux secondes...

LE DIPLOMATE. Un mot...

ALICE. … Deux mots.

LE DIPLOMATE. Le Quartier général a mal compris. Le Quartier général a compris que le régiment ontarien au grand complet était entré dans Dieppe. Le Quartier général a cru que le débarquement était un succès.

ALICE. Et là, ils ont donné l'ordre aux Canadiens français de débarquer.

LE DIPLOMATE, *troublé.* De sept heures à sept heures quinze du matin, en quinze minutes, des centaines de jeunes hommes... Tout ce qui bougeait sur la plage... Les Allemands tiraient même sur les cadavres, comme si on avait voulu nous tuer deux fois.

ALICE. Ceux que j'aimais, ceux que j'aimais... *(Émue.)*

LE MINISTRE. Oublie ! *le dominat a intérêt à oublier*

ALICE. J'ai enfanté Pierre, et Paul, et Arthur pour aider Mackenzie King qui voulait aider Churchill qui voulait aider Staline. Staline qui avait déjà aidé Hitler et Staline qui aujourd'hui n'aide plus personne.

LE MINISTRE. Toutes ces choses dans ta tête... Si tu pouvais oublier, ma chérie.

ALICE. Le lendemain de la bataille, les journaux de Londres ont rapporté en page titre les quelques blessés britanniques sans jamais faire mention des centaines de morts canadiens. Aucune protestation n'est venue d'Ottawa. Pas étonnant de la part d'un pays qui se comporte encore comme une colonie ! Billets de banque, timbres, Parlement, système législatif à l'image des monarques impérialistes.

LE MINISTRE. Viens prendre tes calmants. Viens !

ALICE. Nous avons une grande maison, un beau jardin. Nous savons boire du thé et jouer au bridge. Et c'est ça qui compte.

LE MINISTRE. Vous allez devoir nous excuser.

ALICE. Demain vous verrez. Je vais faire encore des blagues. Demain... Quand les médicaments n'arrivent plus à endormir les souvenirs, il m'arrive d'entendre au plus profond de moi un puissant « Vive l'anarchie ».

Elle sort. Marguerite ramasse les cartes.

LE MINISTRE. C'est une rebelle. Plus jeune, elle savait se contenir. Depuis la mort des enfants. L'alcool et les médicaments. Elle confond racontars et versions officielles. La nuit, elle dit que nos fils viennent la hanter. Moi, je ne veux pas savoir. J'ai besoin de ne pas savoir. J'ai besoin de dormir. C'est une rebelle. C'est pour ça que je l'ai toujours aimée. Bonsoir. (*Il sort. Un temps. Il revient.*) Je compte sur votre discrétion en ce qui concerne la date des élections. (*Il sort à nouveau.*)

MARGUERITE. Je suis désolée. Vraiment.

Il y a un moment de lourd silence. Chacun semble dans sa bulle.

LE BIOGRAPHE. Le Caïd calculait ce qu'il avait gagné aux cartes. Le Diplomate avait le torse bombé par ses exploits militaires. La jeune pianiste entendait déjà les bravos pour sa performance au gala. Les jeunes Élisabeth et Sandro se faisaient la cour. Le salon baignait dans une atmosphère d'allégresse.

SANDRO, *prenant la main du Diplomate.* Ça va, Jérôme ?

LE DIPLOMATE. Onze heures sur la plage de Dieppe. Trente-quatre mois dans les prisons de guerre nazies.

ÉLISABETH MÉNARD. Des sambas. Des chachas. J'ai su qu'y avait un orchestre à soir en classe touriste.

ÉLISABETH TURCOTTE. En classe touriste ?

ÉLISABETH PENINGTON. On descend pas de classe comme ça.

LE DIPLOMATE, *sombre*. Les Allemands nous ont attachés par groupes de dix de telle sorte que pendant deux mois, on devait baisser les pantalons de notre voisin pour qu'il puisse faire ses besoins les plus élémentaires.

LES TROIS ÉLISABETH. O.K. ! On y va ! *(Elles sortent.)*

LE CAÏD. Sandro, c'est l'heure d'aller au lit.

LE DIPLOMATE, *à Sandro*. Demain quatre heures, chez le tailleur.

SANDRO. Demain quatre heures.

LE CAÏD. Qui t'a donné la permission ?

SANDRO. *Buonasera.*

LE DIPLOMATE. *Buonasera*, Sandro. *(Sandro sort.)* Juste avant que le père n'abatte le couteau sur son fils… Une seconde, deux secondes… Un ange arrêta sa main. Dieu lui assura la prospérité. Le père s'appelait Abraham et le fils, Isaac. *(Saluant.)* Messieurs, mademoiselle. *(Le Diplomate sort.)*

MARGUERITE, *au Caïd*. Le moment est peut-être mal choisi mais je tenais à vous dire que votre fils était un grand pianiste et que vous ne devriez pas le laisser seul comme ça sur le pont. Il pourrait faire une bêtise.

LE CAÏD. Depuis notre départ de Montréal, il s'y tient comme le porte-étendard de mes erreurs.

MARGUERITE. Je pense que c'est à cause de l'arthrose à ses mains…

LE CAÏD, *violent*. Arthrose ? Quelle arthrose ? Quelqu'un lui a brisé les mains. Un malentendu.

MARGUERITE, *terrorisée*. Je ne savais pas.

LE CAÏD. C'est drôle à dire mais y a longtemps que j'ai terrorisé quelqu'un. Ça fait du bien. Allez lui dire de rentrer.

MARGUERITE. Moi ?

LE CAÏD. J'ai envie de prendre l'air sans tomber sur lui.

MARGUERITE. Je ne saurai pas quoi lui dire.

LE CAÏD. Dites-lui que j'ai trouvé une solution pour nos passeports.

LE BIOGRAPHE. Une solution ?

LE CAÏD. Dites-lui qu'on m'a remis nos passeports. Il va rentrer.

MARGUERITE. Bonne nuit ! *(Elle sort.)*

LE BIOGRAPHE. C'est quoi votre solution ?

LE CAÏD. C'est vous l'auteur. Trouvez-en une. *(Le Caïd disparaît derrière son fauteuil.)*

ÉPISODE 5

Sur le pont, le même soir. Brume.

Marguerite rejoint Hyacinthe. On entend la corne de brume toutes les trente secondes.

MARGUERITE. Vous devriez rentrer.

HYACINTHE. Mon bonheur, c'est pour quand ? Je vous ai attendue toute la journée d'hier, toute la nuit et encore toute la journée. Je suis resté sur le pont, sans bouger. Je suis resté à la même place pour que vous n'ayez pas à me chercher. Je vous ai attendue toutes ces heures au froid, sans manger. Je me suis retourné des dizaines de fois croyant entendre votre souffle. Là où je croyais sentir votre présence, il y avait des formes dans la brume qui m'invitaient à les suivre. Au crépuscule, c'était les flammes de l'horizon qui dansaient au-dessus de ma tête. Ensuite, les chimères sont venues avec la noirceur de la nuit. La mer leur prêtait des voix obsédantes : « Saute, saute dans les abîmes. » Pour fuir les hallucinations, j'aurais dû sauter. Il n'y avait que vous pour m'en empêcher. Il n'y avait que vous pour la douceur. J'ai sauté dix fois, vingt fois et vous n'étiez jamais là pour me retenir. Rien ! Que faisiez-vous durant tout ce temps ?

MARGUERITE. Je répétais.

HYACINTHE. J'ai passé toutes ces heures à revoir ma vie, à y effacer tout ce qui pouvait encore m'y rattacher. Je m'attendais à une certaine considération de votre part, si ce n'est par égard pour l'instant de plaisir musical que j'ai pu vous donner un jour. J'ai même cru que la pitié vous servirait de prétexte à un certain empressement. Non. Rien ! Vous répétiez !

MARGUERITE. Oui.

HYACINTHE. Vous me trahissiez avec Chopin !

MARGUERITE. C'est ça.

HYACINTHE. Vous me décevez beaucoup !

MARGUERITE. Pour se jeter dans le vide certains choisissent de faire vibrer les couleurs, d'autres les mots, d'autres les mouvements. Vous et moi, nous avons la musique. Elle peut vous consoler. Pas celle qu'il y avait dans vos mains ; celle qui est encore en vous. Venez. On va passer par les cuisines. On vous commandera un plat chaud. Après on jouera aux cartes avec les autres. Je tiendrai les cartes pour vous.

HYACINTHE. Décidément, vous êtes d'un tact !

MARGUERITE. Ensuite, vous me ferez répéter jusqu'à l'aube.

HYACINTHE. Laissez-moi. *(Temps.)*

MARGUERITE. Vous pouvez aussi lui pardonner.

HYACINTHE. Pardonner à qui ?

MARGUERITE. À votre père !

HYACINTHE. Pardonner, ajouter l'humiliation à l'outrage ?

MARGUERITE. Vous cesserez ainsi de vous punir.

HYACINTHE. Qu'est-ce que vous savez de moi ? Qu'est-ce que vous savez ?

MARGUERITE. Je sais qu'il est la cause de votre malheur. Il m'a dit aussi ce qui est arrivé à vos mains…

HYACINTHE. C'est lui qui vous envoie ? Décidément, il peut tout s'offrir.

MARGUERITE. Pardonnez-lui ! J'ai toujours cru au pardon. C'est simple. Ça nous permet d'adoucir notre peine et de voir soudainement celle des autres.

HYACINTHE, *violent.* C'est avec des idioties pareilles que vous comptez jouer Chopin ? Chopin ne pardonne pas. Chopin souffre !

MARGUERITE. Alors, cessez d'être cynique et souffrez ! Donnez-moi vos pleurs. Donnez-moi vos cris. Que vos gémissements me touchent. Atteignez ma pitié. C'est bien ma pitié que vous cherchez ? J'attends. Mettez-y un peu de votre légendaire talent. Rien ? Rien ! Les victimes sont méchantes. La souffrance est leur seul pouvoir. Elles répètent sans cesse ; regardez ce qu'on m'a fait. Regardez ! Regardez ! Et ça leur donne tous les droits. Elles deviennent tyrans. Elles gouvernent par ressentiment. Elles bâtissent des pays sur la faute de l'autre. Elles sont martyrs, dieux et infini, et nous, on devient leurs esclaves. Dès qu'on jette un regard sur leurs yeux attristés, on se noie dans leurs larmes. Dès qu'on plonge nos mains dans leurs plaies, elles se cicatrisent en nous emprisonnant. J'ai un frère qui a perdu tous ses membres, une mère qui a perdu ses fils, un père qui a perdu ses illusions. Je connais toute la gamme qu'offrent les lamentations, tous les lourds silences. Dans ce domaine, vous, vous n'êtes qu'un amateur. *(Temps.)* Il m'a dit aussi de vous dire qu'il avait les passeports.

HYACINTHE. Quoi ?

MARGUERITE. Il m'a dit de vous dire qu'il avait trouvé une solution au sujet de vos passeports.

HYACINTHE. Une solution ? Et je devrais le croire ? Pourquoi, là, je devrais le croire ?

MARGUERITE. Cessez d'abuser ceux qui vous veulent du bien. Bonsoir ! *(Elle amorce sa sortie.)*

HYACINTHE. Attendez !

MARGUERITE. Je ne reviendrai pas, Hyacinthe.

HYACINTHE. Je vous fais jouer un jeu méchant. Pardonnez-moi. *(Temps.)* Vous voyez, je peux comprendre ce que le pardon veut dire. Pardonnez-moi. *(Elle le regarde.)* Première chose à se rappeler : Chopin a été l'un des premiers à laisser toute la place au soliste. L'orchestre ne fait qu'appuyer la mélodie du soliste. Vous êtes prête ? On va jouer le concerto.

MARGUERITE. Y a un piano dans la salle de bal.

HYACINTHE. Non. Ici. Racontez. Allez, au début...

MARGUERITE. Au début, ça commence par les violons.

HYACINTHE. Racontez mieux que ça.

On entend la musique du deuxième mouvement du Concerto n° 1 pour piano *de Chopin.*

MARGUERITE. Au début, les cordes appellent le piano.

HYACINTHE. Qu'est-ce que vous voyez ?

MARGUERITE. Je vois l'orchestre.

HYACINTHE. Non. Qu'est-ce que la musique vous inspire ? Qu'est-ce qu'elle vous fait voir ?

MARGUERITE. Y a une femme. *(Temps.)* Elle est seule. *(Temps.)*

HYACINTHE. Ensuite ?

MARGUERITE. Elle est de dos. *(Temps.)*

HYACINTHE. Le décor maintenant.

MARGUERITE. Tout ce qui l'entoure est aride. *(Temps.)*

HYACINTHE. Qu'est-ce qu'elle fait ?

MARGUERITE. Elle attend.

HYACINTHE. *Romanze, larghetto.*

MARGUERITE. Elle attend quelqu'un.

HYACINTHE. Sentez bien les images.

MARGUERITE. Une silhouette apparaît devant elle.

HYACINTHE. C'est quoi ? C'est qui ? *(Ils se regardent.)* Maintenant, déposez vos mains sur le clavier.

MARGUERITE. Et là, on entend le souffle de tout l'orchestre qui épie en silence.

HYACINTHE. C'est un amour adolescent qui a inspiré les adagios des deux concertos. *(Temps.)* J'ai donné mon premier vrai concert à onze ans.

LE CAÏD, *dans le grand salon.* J'avais invité toute la belle société de Montréal. C'était la première fois que je l'entendais jouer. Il était envahi par quelque chose qui me dépassait.

HYACINTHE. À la fin du premier mouvement, juste avant de reprendre, j'ai entendu quelqu'un applaudir et crier « bravo, bravo » !

LE CAÏD, *dans le grand salon.* Bravo ! Bravo !

MARGUERITE. Votre père applaudissait entre les mouvements ?

LE CAÏD, *dans le grand salon.* J'ai appris plus tard que ça se faisait pas.

MARGUERITE. Vous deviez être mal à l'aise ?

HYACINTHE. Il était tellement fier.

LE CAÏD, *dans le grand salon.* Toute la salle s'est mise à applaudir avec moi.

MARGUERITE. Toute la salle ?

LE CAÏD, *dans le grand salon.* Y avaient pas le choix.

HYACINTHE. Il m'a refait le coup à chaque mouvement.

LE CAÏD, *dans le grand salon.* Ça, je veux que ce soit écrit.

MARGUERITE. On parle encore de vous au conservatoire. On dit que Chopin aurait été touché de vous entendre jouer.

HYACINTHE. Il m'a déjà entendu.

HYACINTHE. Marguerite... C'est bien ça, « Marguerite » ?

MARGUERITE. Oui.

HYACINTHE. Croyez-vous qu'une femme peut encore s'intéresser à moi ?

MARGUERITE. Oui. Venez. Un plat chaud.

HYACINTHE. Une femme ! Pas une infirmière !

MARGUERITE. La beauté, c'est quelque chose d'intérieur.

HYACINTHE. Collégienne.

MARGUERITE. Faites vôtre ma conquête du monde.

HYACINTHE. Je ne serais même pas bon pour tourner les pages de vos partitions.

MARGUERITE. J'ai froid ! *(Il la prend dans ses bras.)* Et là, le piano et l'orchestre ne font plus qu'un. Elle a retrouvé celui qu'elle attendait. Dites-moi quelque chose de gentil.

HYACINTHE. Je te trouve très belle.

MARGUERITE. Tu voudrais enlever tes gants ? *(Il enlève un gant.)*

HYACINTHE. Tu vois, ça fait trois fois qu'on me casse les phalanges d'ici pour les remettre droites et là... *(Elle lui baise la main.)*

MARGUERITE. Pianissimo.

HYACINTHE. Je sens rien.

MARGUERITE. On peut essayer tes lèvres ?

HYACINTHE. On peut essayer ! *(Il embrasse Marguerite.)*

ÉPISODE 6

EMPRESS ROOM

Sandro est poursuivi par Jeremy et Willy.

WILLY. *Come here ! You cheated !*

SANDRO. J'ai pas triché.

JEREMY. *You dropped two cards on the floor !*

WILLY. *Give us our money back !*

SANDRO. Je l'ai gagné !

JEREMY. *Give us our money* back !

SANDRO. Pas question.

LE DIPLOMATE, *entrant avec une immense boîte.* Qu'est-ce qui se passe ?

WILLY. *We were playing poker and this young gentleman cheated, sir.*

JEREMY. *...with two hidden cards, sir.*

SANDRO. Juste une. Faut pas les écouter !

LE DIPLOMATE. *I'm surprised to learn that the crew has permission to play poker on board.*

JEREMY. *It's forbidden, sir.*

WILLY. *But, this young gentleman cheated, sir.*

LE DIPLOMATE. Il a triché et puis, on triche tous. *(Il leur donne un généreux pourboire. Les stewards quittent.)*

SANDRO. Sans vous, je serais mort. *(Le diplomate sort le nouvel habit de la boîte.)* Mon habit ? *Magnifico ! Splèndido !* Mon premier habit d'homme !

LE DIPLOMATE. Il te plaît ?

SANDRO. *E'i più'bel vestito della mia vita.*

LE DIPLOMATE. Y aussi une chemise. Tu vas faire tomber toutes les filles.

SANDRO. *Tutte le ragazze !*

LE DIPLOMATE. Elles vont te trouver très beau.

SANDRO. *Il più'bello.*

LE DIPLOMATE. Touche comme c'est soyeux. *(Sandro caresse l'habit.)*

SANDRO. C'est soyeux.

LE DIPLOMATE. Elles vont apprécier toute la lumière qui se dégage de ton visage. *(Le Diplomate caresse furtivement le visage de Sandro.)*

SANDRO. Jamais personne s'est intéressé à moi comme vous le faites. Je veux qu'on soit des amis pour le reste de nos jours. Les meilleurs amis du monde. *(Il va dans les bras du Diplomate.)* Je vais l'essayer. Passez-moi la chemise. *(Sandro se met torse nu.)* 338 caisses de pommes, d'oranges et de fruits divers. 20 140 livres de farine. 9 000 livres de sucre. 3 860 livres de lait en poudre... *(Temps.)* Pourquoi vous me regardez comme ça ? *(Le Caïd et le Biographe entrent.)*

LE BIOGRAPHE. Océan Atlantique, latitude 50, longitude 26 Ouest. Le centre du monde. Fin de la troisième journée.

LE CAÏD. La nuit dernière, je me suis réveillé. J'étais en sueur. Y avait un grand silence sur le bateau, comme si les moteurs s'étaient arrêtés. Je me suis dit que le bateau avait peut-être heurté quelque chose, que l'eau montait peut-être juste en dessous de nous. Je me disais : « Bientôt, y aura des cris. Les sirènes nous diront d'évacuer. Les lumières s'éteindront et la noirceur de l'océan... » J'étouffais dans mon lit ! Je me disais : « Lève-toi, va chercher tes fils. C'est tout ce qui te reste. Ils sont ta seule fortune. Ouvre toutes les portes des cabines et retrouve-les. » Je me voyais me lever et chercher mes fils. J'ouvrais les portes. Des dizaines, des centaines de portes. De chaque cabine sortaient des cadavres qui flottaient sur le ventre. Je les retournais. Jamais Hyacinthe. Jamais Sandro. J'avançais dans l'eau glacée mais je ne sentais pas le froid. J'avais les mains écorchées par des morceaux de verre mais je ne sentais pas mes blessures. Et je criais : « Je ne sens rien. Je ne sens rien. Je voudrais sentir quelque chose. Quelque chose. Je ne sens rien. » J'étouffais dans mon lit. C'est alors que je me suis levé pour de vrai. Je me suis rendu ici dans le grand salon. Tout y était calme. Le personnel qui faisait le ménage s'est arrêté. Ils m'ont regardé et dans leurs yeux, j'ai vu mon air ahuri. J'ai vu mes mains qui tremblaient. C'est alors que je me suis souvenu qu'on m'avait toujours respecté, que j'avais toujours été riche, toujours été craint parce que je ne ressentais rien, et qu'il me fallait poursuivre cette bonne habitude.

SANDRO. T'as vu mon nouvel habit ?

LE BIOGRAPHE. Le Diplomate ouvrit un hublot.

LE DIPLOMATE. Vous prenez les passeports...

LE BIOGRAPHE. Une seconde.

LE DIPLOMATE. ... Ou je les donne à l'océan ?

LE BIOGRAPHE. Deux secondes.

LE CAÏD. Donnez !

LE DIPLOMATE. Sandro, va à ma cabine.

SANDRO. J'ai besoin de sa permission.

LE CAÏD. Va, Sandro. Va, va à sa cabine.

SANDRO. T'es le meilleur des pères. *(Sandro sort.)*

LE DIPLOMATE, *lui remettant les passeports.* Voici celui de James et celui de Martin.

LE CAÏD. Le mien ?

LE DIPLOMATE. Sandro vous remettra le vôtre demain matin, au lever du jour.

LE CAÏD. Sa Louise, elle a des longs cheveux blonds.

LE DIPLOMATE. Et elle a des yeux noisette. J'en sais déjà beaucoup plus que vous.

LE CAÏD, *au Diplomate.* Faites-le boire.

LE DIPLOMATE. Pardon ?

LE CAÏD. Saoulez-le avant. S'il vous plaît.

LE DIPLOMATE. Vous venez de leur sauver la vie. C'est digne d'un bon père.

LE CAÏD. Taisez-vous.

LE DIPLOMATE. Son âme sera un peu plus lourde mais une âme sans vie, c'est juste une petite croix blanche dans un champ de petites croix blanches. Messieurs. *(Il sort.)*

Corne de brume.

LE BIOGRAPHE. Je m'en vais terminer votre biographie, monsieur.

LE CAÏD. Je nous commande une bouteille de whisky ?

LE BIOGRAPHE. Je n'ai plus besoin de vous.

LE CAÏD. C'est quand même ma vie !

LE BIOGRAPHE. On en est arrivé à un tel point dans la fiction que la réalité ne m'est plus d'aucune utilité. Je vais terminer seul.

LE CAÏD. Ce sera quoi ma disparition ?

LE BIOGRAPHE. « Le Roi des ombres tomba à la mer… »

LE CAÏD. J'aime ça.

LE BIOGRAPHE. « … C'est en se battant avec un diplomate qui voulait abuser de son fils que le Roi des ombres tomba à la mer. »

LE CAÏD. J'aime pas ça.

Hyacinthe un peu gris entre. Il est radieux.

HYACINTHE. Voilà l'auteur de mon père et son sujet. Vous qui pouvez réinventer sa vie, réinventez aussi la mienne ! *(Désinvolte, il fredonne un cha-cha-cha.)* Essayez, juste un peu.

LE BIOGRAPHE. Je travaille pour votre père, pas pour vous.

HYACINTHE. Écrivez comment, par quels tourments j'en suis arrivé à tout oublier. Inventez les circonstances. Inventez que j'ai été magnanime. Donnez les détails. Écrivez l'inimaginable.

LE CAÏD. Essayez !

LE BIOGRAPHE, *tentant de leur donner des répliques.* L'alcool avait rendu le fils vulnérable. La fatigue, le père conciliant.

HYACINTHE. Poursuivez.

LE BIOGRAPHE. Le père fuit le regard du fils.

HYACINTHE. Vous devriez être au lit.

Temps.

LE BIOGRAPHE. Le fils s'approcha du père.

LE CAÏD. J'allais sortir.

LE BIOGRAPHE. Leurs yeux se croisèrent.

HYACINTHE. Sortir ? Pour aller où ?

LE BIOGRAPHE. Un moment d'affection.

LE CAÏD. J'étais inquiet de toi.

HYACINTHE. De moi ?

LE BIOGRAPHE. Là-bas, au bout de l'horizon, on voyait poindre l'espoir d'un jour nouveau. *(Le Biographe sort.)*

HYACINTHE. J'ai dansé.

LE CAÏD. Toi ?

HYACINTHE. Étrange, hein ?

LE CAÏD. Depuis quand tu sais danser ?

HYACINTHE. Depuis ce soir. Je peux prendre un verre avec vous ? La tête me tourne. J'aime ça. J'ai pas l'habitude de tout ça.

LE CAÏD. La danse, l'alcool ? On va finir par faire de toi un homme.

HYACINTHE. Après la danse, on s'est trouvé un piano. Elle est pianiste. Un peu scolaire mais ça s'écoute. Elle a dit que je lui ferais un bon professeur.

LE CAÏD. Tu jacasses comme une fille. Elle est jolie ?

HYACINTHE. Oui.

LE CAÏD. Bon, y faut que j'y aille.

HYACINTHE. Où ça ?

LE CAÏD. Hein ?

HYACINTHE. Où est-ce que vous allez ? Ça va, papa ? Vous avez l'air préoccupé.

LE CAÏD. J'ai ton nouveau passeport. *(Il lui remet.)* Range-le bien.

HYACINTHE. Tout s'est bien passé ?

LE CAÏD. Comme d'habitude. Comme d'habitude. Comme ça t'as dansé ?

HYACINTHE. Oui. Des danses latino-américaines.

LE CAÏD. Elle est jolie, tu m'as dit ?

HYACINTHE. Oui.

LE CAÏD. Tu lui as rien promis ?

HYACINTHE. Non.

LE CAÏD. Faut rien promettre aux femmes. T'oublies pas qu'à Londres, on va disparaître.

HYACINTHE. J'oublie pas. *(Lisant son passeport.)* « James Peacock ».

LE CAÏD. Tu le rangeras bien.

HYACINTHE. Oui.

LE CAÏD. Je vais prendre une marche.

HYACINTHE. Mettez un manteau.

LE CAÏD. Quoi ?

HYACINTHE. Il fait froid. *(Ils se regardent en silence.)* On va essayer d'être heureux là-bas.

LE CAÏD. Oui.

HYACINTHE. On recommence en neuf ?

LE CAÏD. C'est ça.

HYACINTHE. Des nouveaux noms. Des nouvelles vies.

LE CAÏD. Ton passeport, c'est ce que t'as de plus précieux.

HYACINTHE. On pardonne tout et on oublie.

LE CAÏD. Non, Hyacinthe ! *(Temps.)* Donne ton pardon à personne. Encore moins à ceux qui regrettent rien. Pas de regret ; pas de pardon ! Plus tu gardes ton pardon, plus tu gardes ton autorité. Pardon donné, respect envolé.

HYACINTHE. Je vous pardonne pour mes mains, papa.

LE CAÏD. Ils t'ont pas frappé la tête, à ce que je sache ! Comment est-ce que tu peux pardonner ? Moi qui pensais que t'avais un peu d'orgueil ! Y a pas de regret ; y a pas de pardon. Y a le destin. C'est tout. Y a les gagnants, les perdants. Les puissants, les soumis. Vivre, c'est juste essayer de s'inventer des nuances.

HYACINTHE. Je passerai pas ma vie à vous détester.

LE CAÏD. Ton destin, Hyacinthe, c'est de me détester. Père et fils, on est faits pour ça. On se déteste, on se trahit, on se juge, on s'ignore mais on se pardonne rien. C'est tout. On peut rien y changer. Tu vas voir, plus tard, tes fils vont se sacrer de tout ce que t'auras fait pour eux.

HYACINTHE. On pourrait pas essayer autre chose ?

LE CAÏD. Je t'ai promis une nouvelle vie, pas un nouveau père ! Regarde mes rides, Hyacinthe ! Il doit y en avoir une ou deux qui te disent que je suis méprisable.

HYACINTHE. Je veux voir autre chose.

LE CAÏD. Arrête !

HYACINTHE. Je vous pardonne !

LE CAÏD. Arrête ! Tu sais ce que j'ai fait ? Tu sais ce que je viens de faire ? J'ai donné Sandro au Diplomate. C'est assez pour te faire ravaler ton pardon, ça ?

HYACINTHE. On m'a dit que vous aviez trouvé une solution ?

LE CAÏD. J'ai donné Sandro pour sauver nos vies, c'était ça la seule solution. C'est ce qu'il fallait faire mais c'est méprisable.

veut pas le reconnaître comme une faute alors ne veut pas pardon

HYACINTHE. C'est quoi la cabine du Diplomate ?

LE CAÏD. Ravale ton pardon !

HYACINTHE. C'est quoi le numéro de sa cabine ?

LE CAÏD. Ravale ton pardon !

HYACINTHE, *sortant en hurlant.* Sandro ! Sandro !

ÉPISODE 7

Jeremy est près d'un tourne-disque. Il y a une chaise droite au centre de la pièce. Les passagers ont revêtu leurs chics vêtements de cérémonie. Les femmes sont en robe de gala et portent leur tiare et le Ministre est en queue-de-pie.

MADEMOISELLE LAVALLÉE, *armée d'un porte-voix.* La reine va se tenir près du simple siège du couronnement, vieux de six cent cinquante ans. Le Marquis de Salisbury va s'avancer avec le glaive de l'État. L'archevêque de Canterbury va l'offrir à la reine. Ensuite, on va apporter le globe scintillant. Après, l'archevêque va prendre la couronne de Saint-Édouard et la déposer sur la tête de la reine. À ce moment, tous les invités diront : « *God, Save the Queen.* » Ensuite, il y aura la procession. Dès que la reine s'approchera de vous, devenez digne. C'est très facile. Elle dégage le respect. Quand elle passera devant vous, vous ferez votre révérence. Les hommes ?

LE MINISTRE. On incline la tête.

MADEMOISELLE LAVALLÉE. Les femmes ?

LES FEMMES. On offre notre main au monsieur qui se tient près de nous. On prend un des pans de notre robe, on s'appuie sur une jambe, on plie, on incline la tête, on garde les yeux baissés...

ALICE. Et si on pouvait disparaître dans le plancher, on le ferait.

ÉLISABETH PENINGTON. D'un coup qu'a'passe pas devant nous autres ?

ALICE. Chère amie, dès que vous ouvrez la bouche, j'ai l'impression qu'on est de retour à la maison.

MADEMOISELLE LAVALLÉE. Rassurez-vous. Y aura bien une princesse Margaret ou un prince Philip qui passera par là.

ÉLISABETH PENINGTON. Ou une reine mère !

ÉLISABETH TURCOTTE. Ou un prince Charles.

ÉLISABETH MÉNARD. Une princesse Anne.

ÉLISABETH PENINGTON. Une princesse Marina.

MADEMOISELLE LAVALLÉE. Une princesse Alexandra.

ÉLISABETH MÉNARD. Un duc de Kent.

ÉLISABETH TURCOTTE. Une duchesse de Kent.

ALICE. Enfin, un reste de quelque chose devant lequel on devra de toute façon s'incliner.

MARGUERITE, *entrant.* Pardonnez-moi. Je répétais.

ALICE. Nous aussi.

LE MINISTRE. Bon ! Quand est-ce qu'on mange ?

ÉLISABETH MÉNARD. Elle a dit qu'on devait attendre.

MADEMOISELLE LAVALLÉE. Vous irez prendre le petit déjeuner aussitôt la répétition terminée.

LE MINISTRE. Mais qu'est-ce qu'on attend ?

MADEMOISELLE LAVALLÉE. On attend la fin de la répétition.

LE MINISTRE. C'est la deuxième fois qu'on répète tout. Les révérences et toute la cérémonie !

ALICE. Si la famille royale tombe malade, on est bon pour la remplacer.

LE MINISTRE. On dirait qu'on fait du temps.

ALICE. Mademoiselle Lavallée ?

MADEMOISELLE LAVALLÉE. Oui, madame Gendron ?

ALICE. Est-ce qu'on fait du temps ?

MADEMOISELLE LAVALLÉE. Un peu, oui.

LE MINISTRE. Pas à cause des Indiens ?

MADEMOISELLE LAVALLÉE. Ils sont en train de mettre leur costume et...

LE MINISTRE. C'est pas possible !

MADEMOISELLE LAVALLÉE. On va reprendre une dernière fois. Au cas où ils se décident à venir.

LE MINISTRE. C'est la dernière fois !

MADEMOISELLE LAVALLÉE. Mademoiselle Marguerite, vous allez personnifier la reine.

ÉLISABETH MÉNARD. Chanceuse !

MARGUERITE. Je ne sais pas...

LE MINISTRE. Oui, tu sais !

ÉLISABETH TURCOTTE. Y paraît que le maquillage de la reine y faut qu'y soit parfait.

ÉLISABETH MÉNARD. Y faut qu'y matche avec l'éclairage jaune de l'abbaye.

ÉLISABETH PENINGTON. Pis l'éclairage rose de son carrosse.

ÉLISABETH TURCOTTE. Y faut qu'y soit assez fort pour les photos en noir et blanc.

MADEMOISELLE LAVALLÉE. Mais pas trop pour celles en couleur.

LE MINISTRE. Est-ce qu'on peut reprendre ?

ÉLISABETH TURCOTTE. Pis y a la télévision, pis y a le cinéma.

MADEMOISELLE LAVALLÉE. Ils ont même fait des tests sur une jeune fille.

ÉLISABETH MÉNARD. Y paraît qu'elle a le même genre de peau que la reine.

ÉLISABETH PENINGTON. La même forme de face.

ÉLISABETH MÉNARD. C'te fille-là, c'est le jackpot qu'elle a gagné.

ÉLISABETH TURCOTTE. Le jackpot !

LE MINISTRE. Moi, je vais déjeuner !

MADEMOISELLE LAVALLÉE. On reprend !

ALICE, *riant.* Quelle impatience, Joseph !

MADEMOISELLE LAVALLÉE. Allez, mademoiselle Gendron, vous nous faites la reine !

MARGUERITE. Qu'est-ce que je dois faire ?

MADEMOISELLE LAVALLÉE. La reine va se tenir près du simple siège du couronnement, vieux de six cent cinquante ans. Le marquis de Salisbury va s'avancer...

LE MINISTRE, *exaspéré.* Va à cette chaise, tu mets cette chose sur ta tête et tu passes devant nous.

MADEMOISELLE LAVALLÉE. Monsieur le ministre, vous allez faire l'archevêque.

LE MINISTRE. Le pape, si ça peut accélérer les choses !

MADEMOISELLE LAVALLÉE. Y a pas de pape chez les anglicans...

LE MINISTRE, *exaspéré.* C'était une blague, mademoiselle Lavallée ! Une blague !

ALICE, *riant.* Joseph !

LE MINISTRE. J'ai faim !!!

MADEMOISELLE LAVALLÉE. Tout est en place ? Bon, on va pouvoir y aller. Ça va être merveilleux. Tout le monde est prêt ?

TOUS. Oui.

MADEMOISELLE LAVALLÉE. On y va ! *Willy, start the music !*

JEREMY. *I'm Jeremy, Madam.*

LE MINISTRE. *Jeremy, start the music !*

JEREMY. *Yes, sir !*

Jeremy fait jouer God Save the Queen.

MADEMOISELLE LAVALLÉE. Allez-y, Monsieur le ministre. *(Le Ministre dépose la chose qui tient lieu de couronne sur la tête de Marguerite.)* God Save the Queen !

TOUS, *sauf Alice.* God Save the Queen !

MADEMOISELLE LAVALLÉE. Vous êtes émouvante en reine, mademoiselle Gendron.

ÉLISABETH TURCOTTE. C'est vrai que vous êtes belle en reine.

MADEMOISELLE LAVALLÉE. On parle à la reine seulement si elle nous a adressé la parole.

LE MINISTRE. On poursuit !

MADEMOISELLE LAVALLÉE. À vous, mesdemoiselles Élisabeth. La main, la robe, la jambe, les yeux. Parfait. On dirait que vous avez fait ça toute votre vie. *(Marguerite passe devant les passagers.)* Maintenant la révérence, Monsieur le ministre. Parfait ! Un vrai professionnel de la révérence !

LE MINISTRE. C'est vraiment pas le moment, mademoiselle Lavallée.

MADEMOISELLE LAVALLÉE. C'était une blague, Monsieur le ministre ! À vous, madame Gendron ! Allez, la main... La main, madame Gendron.

LE MINISTRE. La main, Alice !

MADEMOISELLE LAVALLÉE. Madame Gendron, c'est à vous ! C'est la reine !

ALICE. Non. C'est ma fille !

MADEMOISELLE LAVALLÉE. Oui mais elle joue la reine.

ALICE. Oui mais c'est ma fille.

MADEMOISELLE LAVALLÉE. *Jeremy, stop the music !*

JEREMY. *Yes, Madam !*

LE MINISTRE. Qu'est-ce qu'il y a encore ?

ALICE. Je ne veux pas que notre fille soit reine d'Angleterre.

LE MINISTRE. Alice !!! Jusqu'où veux-tu pousser le ridicule ce matin ?

ALICE. J'avoue que ça va être difficile d'aller plus loin. On réussit déjà à faire du grand guignol sur de la mascarade !

LE MINISTRE. Alice, dans toute ma carrière, y a pas un membre de l'opposition qui m'a fait chier comme tu m'as fait chier en quatre jours depuis notre départ de Montréal. Alice, tu m'as puisé plus d'énergie qu'il en faut pour subir toute une campagne électorale. Alice... Alice... Alice... J'ai dû user la patience de tous les passagers à force de répéter ton nom.

MADEMOISELLE LAVALLÉE. Maintenant, on reprend !

LE MINISTRE. Je parle à ma femme !

MADEMOISELLE LAVALLÉE. On reprend !

LE MINISTRE. Non, on ne reprend pas !

MADEMOISELLE LAVALLÉE. Vous avez des responsabilités, Monsieur le ministre !

LE MINISTRE. Justement, parlons-en de mes responsabilités ! Mes amis s'informent de la santé du premier ministre avant de prendre des nouvelles de la mienne. Pour garder le pouvoir, je m'abîme constamment dans des compromis qui vont à l'encontre des acquis de mes ancêtres canadiens-français. Mon gouvernement s'en va défendre l'autonomie de notre pays auprès de l'Angleterre, pour mieux la vendre aux Américains. Je fais semblant que j'aime tout le monde alors que je déteste presque tout le monde !

ALICE. Je fais partie des gens que tu détestes, Joseph ?

LE MINISTRE. Toi ? *(Temps.)* Toi qui sais dire tout haut les mots qui me hantent ; toi à qui j'ai laissé les insomnies, la peine de mes fils ; toi qui as fait l'effort de m'aimer malgré toutes mes contradictions ; toi qui es ce qui me reste de conscience... De toutes les vérités que je connaisse, il n'y en a qu'une dont je n'ai jamais eu honte : je t'aime, Alice.

MADEMOISELLE LAVALLÉE. Y a des lieux pour ces choses !

MARGUERITE. Mademoiselle Lavallée, allez donc voir ailleurs ce que vous pouvez y faire.

MADEMOISELLE LAVALLÉE. Je n'ai pas d'ordre à recevoir de vous.

LES TROIS ÉLISABETH. C'est la Reine !

MADEMOISELLE LAVALLÉE. D'accord ! Très bien ! Parfait ! Le petit déjeuner est servi ! *(Elle sort.)*

ÉLISABETH TURCOTTE. On va déjeuner en classe touriste.

ÉLISABETH MÉNARD. J'espère qu'il va y avoir des jeux, comme hier.

ÉLISABETH PENINGTON. Non, on reste en première classe.

ÉLISABETH MÉNARD. C'est plusse le fun en classe touriste. *(Elles sortent.)*

ALICE. Marguerite, tu viens déjeuner ? Ton père m'a ouvert l'appétit !

LE MINISTRE, *à sa femme.* Que dirais-tu d'aller en France après Londres ?

ALICE. Et les élections ?

LE MINISTRE. On dit que c'est bien, l'Italie au mois d'août.

ALICE. Rome, le dix ?

LE MINISTRE. Rome, le dix.

Hyacinthe entre. Il porte les mêmes vêtements que la veille. Il a l'air perdu, fatigué.

LE MINISTRE. Tu nous rejoins, Marguerite ?

ALICE. Marguerite ?

MARGUERITE. Oui. Oui. *(Le ministre et sa femme sortent.)* Je t'ai attendu pour ma leçon.

HYACINTHE. Ta leçon ? Y aura pas de leçon. Je suis venu te dire que tout ce que tu as dit sur le pardon, c'était idiot. Ça sert à rien de pardonner. J'ai été stupide de t'écouter. À cause de toi, je me suis fait humilier comme jamais quelqu'un s'est fait humilier.

MARGUERITE. À cause de moi ?

HYACINTHE. J'étais là, devant lui...

MARGUERITE. Devant qui ?

HYACINTHE. Pour un instant, j'étais prêt à refaire le monde avec lui. Pour un instant, j'étais son héritier. Tout nous était possible. Pour un instant, j'étais son fils. Et c'est là que j'ai pardonné. J'ai prêté le flanc et lui... il m'a abattu. Le saint infirme pardonnant à son bourreau.

J'ai tout confondu. Ma rage, ta tendresse, son ambition. Là où il n'y avait que ma peine.

MARGUERITE, *allant vers lui.* Hyacinthe !

HYACINTHE, *s'éloignant d'elle.* J'ai été stupide de t'écouter.

MARGUERITE, *ébranlée.* Je vais répéter.

HYACINTHE. Répéter quoi ?

MARGUERITE. On est à un jour des côtes d'Irlande. Je n'ai plus beaucoup de temps avant mon concert.

HYACINTHE. Concert ?

MARGUERITE. Chopin.

HYACINTHE. Oui. Va répéter. J'ai peur effectivement que tu manques de temps pour jouer au moins un Chopin qui soit, au plus, honnête.

MARGUERITE. C'est cruel !

HYACINTHE. Et toi, t'es pas cruelle ? Tu me parles constamment de musique, la seule chose que je me dois d'oublier. Tu méprises les victimes mais pour ce qui est de les charogner... C'est en cette matière que tes conseils seraient les plus judicieux. Une adolescente en mal de sensations me dit de pardonner et je l'écoute ! Pour quelques baisers ! Une remplaçante en plus... Ma déchéance est vraiment commencée. Mon père a raison sur une seule chose : faut faire affaire avec les putains. À part leur salaire, elles vous demandent rien d'autre. T'as mal ? Essaie donc de me pardonner maintenant !

MARGUERITE. J'ai mal.

HYACINTHE. Continue à avoir mal ! Ça va peut-être t'aider à comprendre Chopin !

ÉPISODE 8

*Pont des premières classes. Soleil. Flanqué de Sandro, le Caïd,
sa biographie en main, scrute l'horizon. Sandro porte son nouvel
habit avec une certaine honte.*

SANDRO. *24 430 libbre di farina. 36 000 libbre di zùcchero.*

LE CAÏD. Dans trois jours, on est à Liverpool.

SANDRO. *2 240 libbre di formàggio, 1 100 di caffè, 700 di
thè.*

LE CAÏD. T'empestes l'alcool ! C'est ta première cuite,
hein ?

SANDRO. *22 150 libbre di carne di bue.*

LE CAÏD. Je vais t'apprendre à boire.

SANDRO. *17 105 di carne di pòrco.*

LE CAÏD. L'alcool, ça peut nous faire perdre la tête. On
sait plus ce qu'on a fait. Mais après, on oublie. J'vais aussi
te faire connaître les femmes. Plein de femmes.

SANDRO. *4 125 libbre di pomodori.*

Hyacinthe les rejoint.

LE CAÏD. Bonjour, James. *(Montrant sa biographie.)* Tout
ça, c'est ma vie ! Tout ça, c'est beau, c'est fort, c'est
grand. Là-dedans, je suis quelqu'un de bien. Il nous a

écrit une fin heureuse. (*Lisant.*) Quelques jours après leur arrivée à Londres, le Caïd et ses fils, étrennant leur nouvelle identité, assistèrent au défilé du couronnement. Ensuite, on les vit au gala du Commonwealth où Marguerite Gendron joua un Chopin empreint d'une grande douleur. Quelques mois plus tard, Hyacinthe se maria à une jolie Irlandaise et Sandro devint militaire.

HYACINTHE. Fin heureuse.

SANDRO. *Bèlla fine.*

LE CAÏD, *lisant.* Le règne d'Élisabeth II fut prospère et les Canadiens français lui restèrent fidèles. Fin. *What is your name ? James, what is your name ? !*

HYACINTHE. *My name is Mister James Peacock and I live in Gloucester, England.*

LE CAÏD. Martin ?

SANDRO. *My name is Martin and I live in Gloucester, England.*

LE CAÏD. *Now, Martin, give me my passeport.* Donne-moi mon passeport. (*Le Caïd sort une alouette morte de la poche de Sandro.*)

LE CAÏD. C'est quoi, ça ?

SANDRO. *Allòdola.*

HYACINTHE. Une alouette. (*Temps.*) Il est mort.

SANDRO. *Uno secondo.*

LE CAÏD. Qui ça ?

SANDRO. *Due secondi.*

HYACINTHE. Le Diplomate !

LE CAÏD. Qu'est-ce qui s'est passé ?

HYACINTHE. Il est tombé dans l'océan.

SANDRO. On l'a aidé.

LE CAÏD. Mon passeport ? Sandro ! Le passeport que le
Diplomate t'a remis.

SANDRO. Il a dit qu'il avait quelque chose pour toi dans
la poche de son veston mais il n'a pas eu le temps de
me le donner.

HYACINTHE. Non, y a pas eu le temps.

SANDRO. *338 casse di mele, aràncie altra frutta.*

Corne de brume.

LE BIOGRAPHE, *lisant.* Cher lecteur, comment, par une
aussi modeste biographie, vous raconter la vie d'un
homme dont la carrière fut aussi exceptionnelle que
celle du Caïd des caïds ? Sa naissance fut un événement
historique que le diable salua en provoquant une éclipse
du Soleil... (*Corne de brume.*)

FIN

Deuxième version, Banff, Alberta, août 1999

ACHEVÉ D'IMPRIMER
EN AOÛT 2005
SUR LES PRESSES DE
MARC VEILLEUX IMPRIMEUR INC.
BOUCHERVILLE
POUR LE COMPTE DE
LEMÉAC ÉDITEUR, MONTRÉAL

DÉPÔT LÉGAL
1re ÉDITION: 4e TRIMESTRE 2000
(ÉD. 01 / IMP. 02)